l' **ABC***daire*

des

Cinq Sens

Jean-Didier Bagot
Christine Ehm
Roberto Casati
Jérôme Dokic
Élisabeth Pacherie

Comité Colbert
Flammarion

LES QUESTIONS QUE L'ON SE POSE

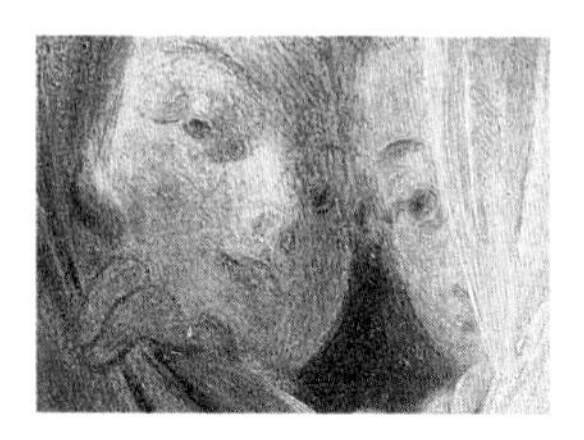

Il est de tradition d'affirmer que les sens sont au nombre de cinq : la vue, l'ouïe, l'odorat, le goût, le toucher. Y a-t-il vraiment cinq sens, comme il y a sept péchés capitaux ?

Notre œil reçoit de l'énergie lumineuse, qui n'a elle-même ni forme, ni couleur, ni relief. Quels sont les mécanismes qui mènent d'une information brute à une représentation cohérente du monde ?

Les êtres humains, dans leur grande majorité, naissent avec un même équipement sensoriel. Mais voyons-nous, entendons-nous, sentons-nous tous la même chose ? Ce que nous percevons du monde extérieur en est-il le reflet exact et objectif ?

COMMENT L'ABC*daire* Y RÉPOND...

Le guide de l'abécédaire p. 6

Il explique comment comprendre les Cinq Sens en regroupant les notices de l'abécédaire selon trois perspectives. Un code de couleurs indique le genre de chaque notice :

■ Les mécanismes : les organes récepteurs, les stimuli.

■ L'histoire : les philosophes, les savants.

■ La société : les arts, les cultures.

À partir de la lecture de ces notices, et grâce aux renvois signalés par les astérisques, le lecteur voyage comme il lui plaît dans l'abécédaire.

L'abécédaire p. 31

Par ordre alphabétique, on trouvera dans ces notices tout ce qu'il faut savoir pour entrer dans l'univers des Cinq Sens. L'information est complétée par les éclairages suivants :
- des commentaires détaillés des diverses modalités sensorielles ;
- des encadrés qui développent les contextes dans lesquels s'expriment nos sens.

Les Cinq Sens racontés p. 11

En tête de l'ouvrage, cette synthèse reprend l'articulation du guide de l'abécédaire en développant chacun de ses thèmes.

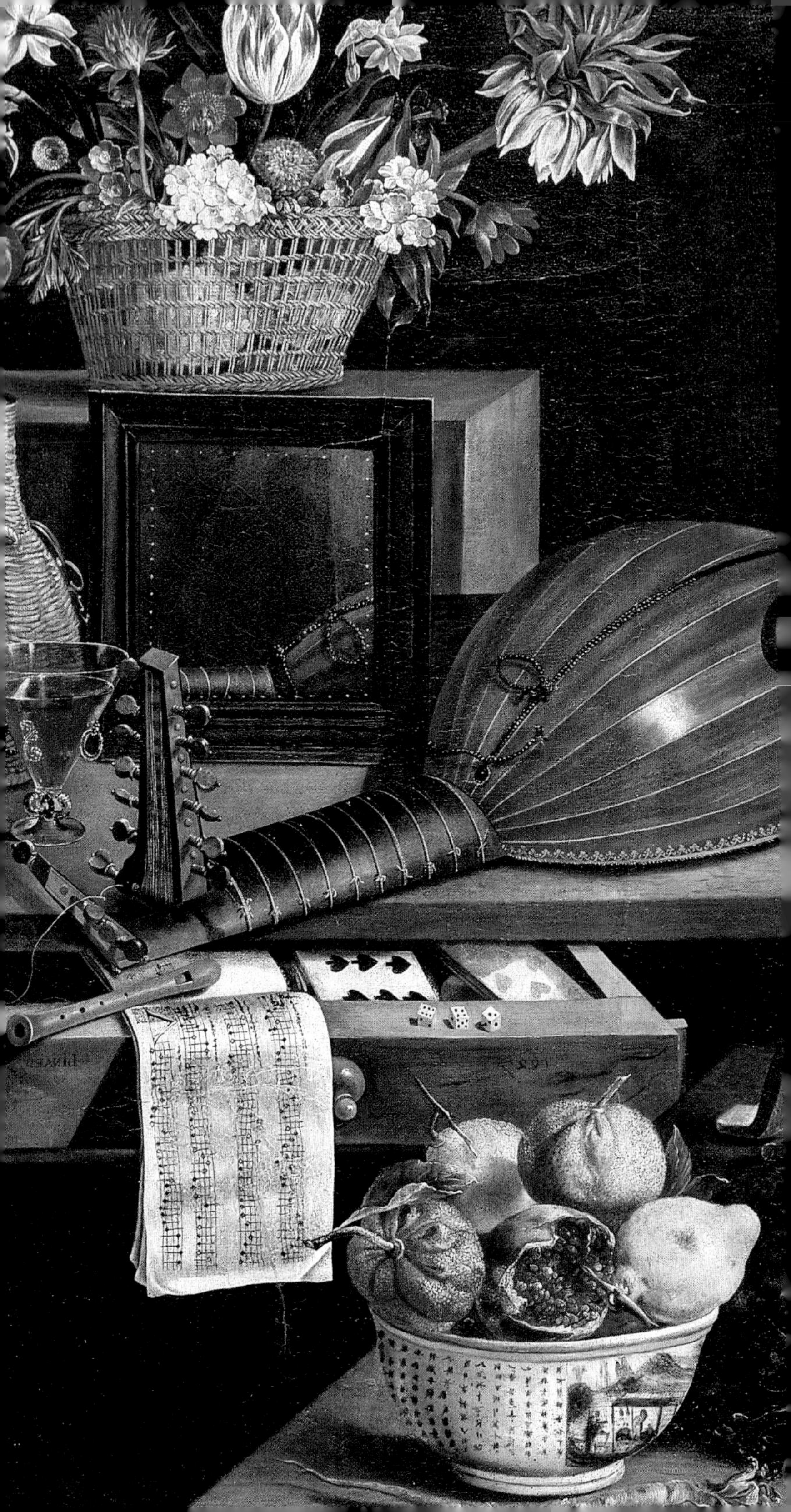

La Vue et les Couleurs.

La Vista y los Colores.

G U I D E

I. DES « FENÊTRES » SUR LE MONDE

A. Du stimulus à la sensation

Il est de tradition, depuis l'Antiquité, de distinguer cinq sens : vue, ouïe, odorat, goût et toucher. À chacun d'eux est associé un système spécialisé : œil, oreille, nez, langue, peau, comportant des récepteurs sensibles à des stimulations physiques spécifiques : lumière, vibrations sonores, molécules chimiques, pression, vibrations mécaniques et variations de température.

- *Audition*
- *Classification*
- *Gustation*
- *Langue*
- *Lumière*
- *Nez*
- *Odeur*
- *Œil*
- *Olfaction*
- *Oreille*
- *Peau*
- *Saveur*
- *Son*
- *Toucher*
- *Vision*

B. La sensation comme source de savoir

Depuis l'Antiquité, bon nombre de philosophes n'ont cessé de s'interroger sur les rapports de la sensation à la vérité. Puisqu'il semble que nos sens peuvent nous tromper et que les sensations que nous avons dans les songes paraissent aussi réelles que les autres, certains comme Descartes concluent que seule la raison est un moyen de connaissance fiable.

- *Antiquité*
- *Aristote*
- *Berkeley*
- *Condillac*
- *Descartes*
- *Empirisme*
- *Locke*
- *Merleau-Ponty*
- *Sensation*

C. La « reine des sens »

Considérée longtemps comme le sens le plus « noble », la vision n'a cessé d'imprégner la pensée et la culture occidentales. Omniprésente dans les interrogations philosophiques de Platon jusqu'à nos jours, capitale dans l'histoire des sciences, elle est aussi à la base de tous les arts de représentation, tels la peinture, la photographie, le cinéma.

- *Allégorie*
- *Aveugle-né*
- *Chevreul*
- *Cinéma*
- *Classification*
- *Couleur*
- *Helmholtz*
- *Image*
- *Locke*
- *Peinture*
- *Perspective*
- *Photographie*
- *Regard*
- *Vision*

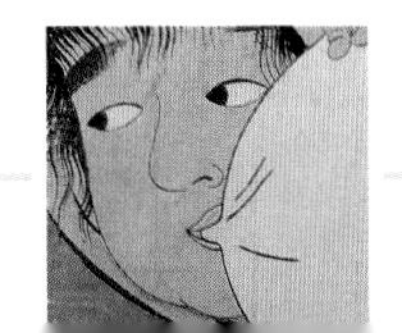

II. VERS LES CONCEPTIONS ACTUELLES

A. Cinq sens... et plus

Le sixième sens désigne ordinairement l'intuition, mais la liste des cinq sens organiques traditionnels est en réalité loin d'être exhaustive. Il faut par exemple y ajouter la perception de l'espace, qui fait appel aux données visuelles et auditives, mais aussi à toutes les informations qui nous renseignent sur la position et les mouvements de notre corps (proprioception).

- *Chaud et froid*
- *Classification*
- *Douleur*
- *Équilibre*
- *Espace*
- *Mouvement*
- *Peau*
- *Proprioception*
- *Sixième sens*
- *Temps*
- *Toucher*

B. Les constructions perceptives

Ce que l'exemple des illusions perceptives nous révèle, ce n'est pas que nos sens peuvent nous tromper, c'est au contraire que notre cerveau construit toujours une représentation du monde extérieur. Dans la majorité des cas, et c'est ce qui a permis la survie de notre espèce, cette représentation est suffisamment en accord avec la réalité pour nous permettre d'évoluer dans le monde.

- *Animal (Monde)*
- *Cerveau*
- *Forme*
- *Identification*
- *Illusion*
- *Pigments*
- *Relief*
- *Rétine*
- *Texture*
- *Troubles*

C. La perception-action

La perception ne peut être réduite à une simple interprétation des messages sensoriels. En particulier, elle est inséparable de l'action. Nous anticipons sans cesse les conséquences de nos actes, même dans nos gestes les plus simples, même dans nos regards : regarder un fauteuil, c'est déjà imaginer les gestes qu'il faut faire pour s'asseoir.

- *Anticipation*
- *Attention*
- *Cerveau*
- *Équilibre*
- *Espace*
- *Mémoire*
- *Mouvement*
- *Regard*
- *Vision*

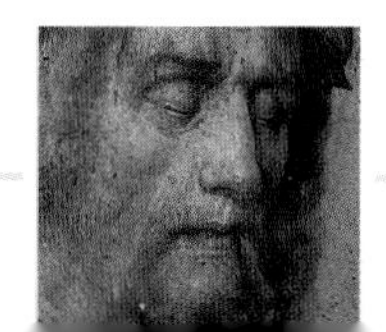

III. LA FABRIQUE DES SENS

A. Réglages et dérèglements

Chez l'homme, les systèmes sensoriels sont aptes à fonctionner bien avant la naissance, mais leur maturité n'interviendra que progressivement avec le développement du système nerveux. Cet équipement pourra présenter des déficiences, dues à des altérations génétiques, à certaines pathologies, à des lésions cérébrales ou tout simplement au vieillissement.

- *Cécité*
- *Développement*
- *Œil*
- *Oreille*
- *Surdité*
- *Toucher*
- *Troubles*
- *Vieillissement*

B. Une anthropologie des sens

Nous disposons tous peu ou prou du même équipement sensoriel, et si différences perceptives il y a, elles sont avant tout d'ordre social et culturel. C'est la culture qui désigne, parmi tous les stimuli, ceux qui méritent d'être perçus et, parmi ceux-ci, ceux qui sont « bons » ou « mauvais ». Dans aucune société, la perception n'est envisagée sous le seul angle strictement sensoriel ; s'y mêlent invariablement le symbolique et le métaphorique.

- *Arôme*
- *Culinaire (Art)*
- *Culture*
- *Danse*
- *Différences individuelles*
- *Musique*
- *Odeur*
- *Parfum*
- *Saveur*
- *Vocabulaire*
- *Voyant*

C. Prolonger et décupler les sens

Emprisonner l'image ou le son, les détacher de leur modèle et les reproduire à volonté, tel est l'objet de cette longue recherche qui aboutira à l'invention de la photographie, du phonographe, du cinéma. Les développements de la science n'ont cessé de nous fournir des prothèses qui sont autant de prolongements de nos organes sensoriels, et depuis l'apparition du numérique, la réalité virtuelle a ouvert de nouveaux champs d'exploration multisensorielle.

- *Artificiel*
- *Cinéma*
- *Enregistrement*
- *Inodore*
- *Main*
- *Multisensoriel (Spectacle)*
- *Parfum*
- *Peinture*
- *Photographie*
- *Synesthésie*
- *Virtuel*

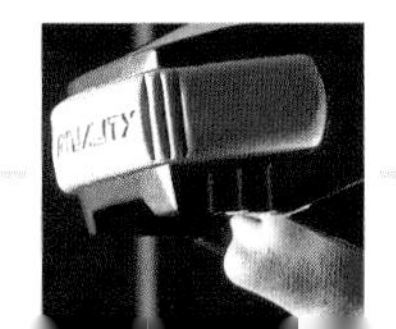

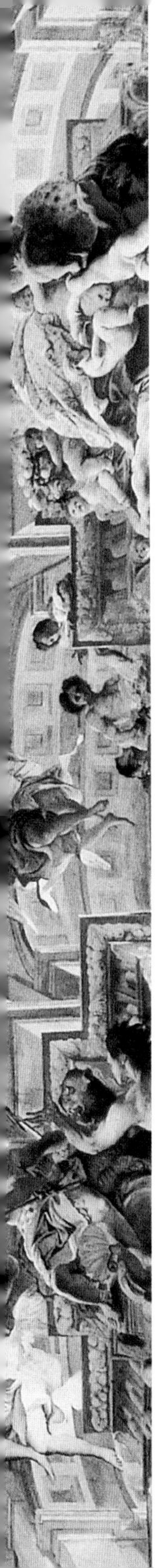

LES CINQ SENS RACONTÉS

La perception est une activité banale et permanente qui est à l'origine de la plupart de nos comportements. Sans effort particulier, sans fatigue et même sans y penser, nous sommes si facilement en relation avec l'environnement qu'il semble naturel d'estimer que le monde est tel que nous le percevons. Pourtant, de nombreuses illusions perceptives nous rappellent qu'il n'en est pas toujours ainsi. Par le passé, on s'indignait que la perception puisse être trompeuse, et on se demandait bien pourquoi nos sens pouvaient nous jouer des tours. De nos jours, à la lumière de quelques explications, on exploite ces illusions pour tenter de comprendre le fonctionnement des systèmes sensoriels ; nous y reviendrons. Mais bien d'autres questions se posent à propos de la perception. Qui ne s'est jamais demandé s'il percevait le monde comme les autres, si son chien ou son chat avait une perception colorée ? Certains, les plus curieux, ont pu aussi se demander, par exemple, comment nous pouvons isoler un son particulier au milieu du brouhaha, pourquoi les objets sont vus à distance alors que leur image est au fond de l'œil, pourquoi les aliments ont si peu de goût quand nous sommes enrhumés, comment nous faisons pour localiser une source sonore, pourquoi le chaud et le froid semblent si relatifs, pourquoi… N'allongeons plus la liste, et laissons plutôt au lecteur le soin de cet inventaire puisque, précisément, toutes ces questions, et surtout leurs réponses, sont l'objet de cet ouvrage.

I. Des « fenêtres » sur le monde

A. Du stimulus à la sensation

Traditionnellement depuis l'Antiquité*, on distingue cinq sens : la vue, l'ouïe, l'odorat, le goût et le toucher. À chacun d'eux est associé un système sensoriel spécialisé comportant des récepteurs sensibles à des stimulations physiques spécifiques : lumière*, vibrations sonores, molécules chimiques, pression, vibrations mécaniques et température. L'idée que la perception dépende de stimulations externes venant frapper nos récepteurs sensoriels ne s'est toutefois imposée que lentement. Ainsi, dans le domaine de la vision*, la lumière ne sera reconnue comme un stimulus physique indépendant à la fois de l'objet éclairé et de l'œil percevant qu'au début du XVIIe siècle. Dans *Le Regard, l'être et l'apparence* (1988), G. Simon a insisté sur le fait que « durant quatorze siècles, la géométrie a traité le regard exclusivement en le décomposant en rayons visuels, partis de l'œil et allant frapper la cible visée » ; cette idée restera prégnante bien après qu'Ibn al-Haytham au Xe siècle, en inversant le sens de propagation,

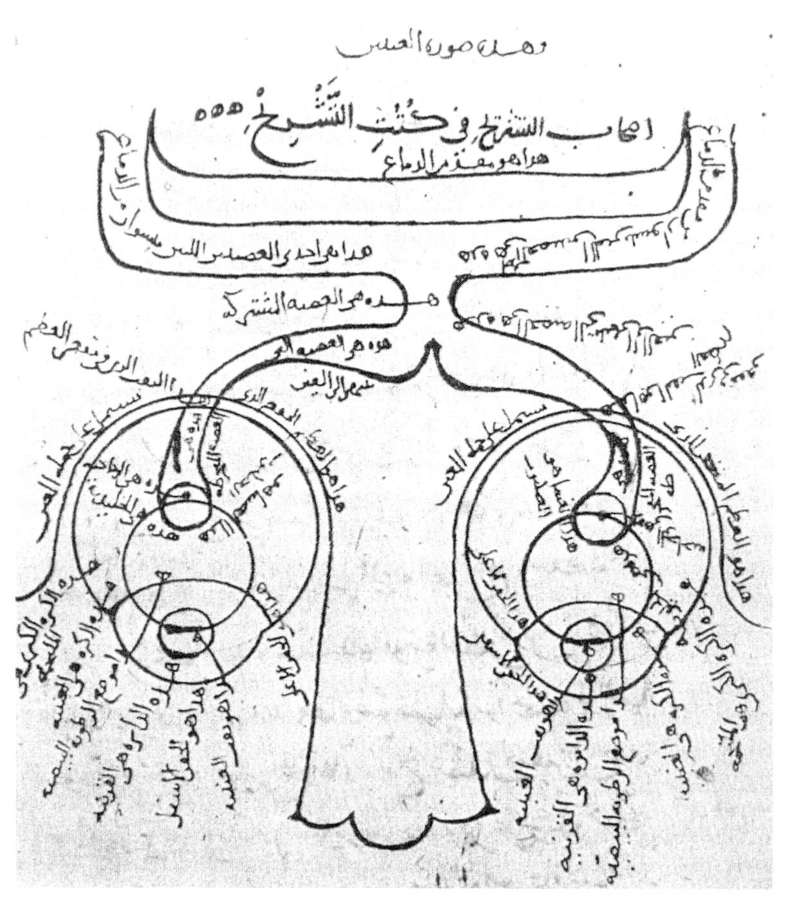

Le système visuel selon Ibn al-Haytham, Xe siècle.

aura fait de l'œil* non plus l'émetteur d'un feu ardent mais le récepteur des rayons lumineux. Quant à la conception de la vision formulée par les atomistes, tels Démocrite et Épicure, si elle peut sembler proche de la nôtre, avec ses fines enveloppes (« simulacres ») se détachant des objets pour pénétrer dans l'œil, elle en est en réalité fort éloignée car la lumière n'y joue qu'un rôle secondaire.

Quand la distinction entre stimulus et récepteur sensoriels se sera affirmée, certains iront jusqu'à voir dans leur relation l'essentiel, voire la totalité, de l'acte perceptif. Une telle conception passive, qui limite la perception à des activités quasi automatiques, sans intervention du sujet percevant, a marqué de nombreuses recherches expérimentales pendant plus d'un siècle. En dépit de progrès minimes dans la stricte connaissance de la perception, cette séparation entre l'objet de la perception et l'acte de percevoir a toutefois été très profitable au développement d'une véritable science des phénomènes perceptifs.

Page précédente : Andrea Pozzo, *La Gloire de saint Ignace*, 1691-1694. Fresque. Rome, Sant' Ignazio, voûte de la nef.

René Descartes d'après Frans Hals, v. 1649. Paris, musée du Louvre.

B. La sensation comme source de savoir

Sauf à croire aux perceptions extrasensorielles, qui font le bonheur des séries télévisées, c'est uniquement par les organes des sens que nous recueillons des informations sur le monde extérieur ; en cela, ils s'interposent entre l'objet perçu et le sujet percevant. Ce filtre ne déforme-t-il pas la réalité ? Les connaissances que nous pouvons tirer des sens sont-elles fiables ? Depuis toujours, les philosophes se sont passionnés pour les rapports de la sensation au vrai. Héraclite, attentif à la notion de flux (*panta rei*, « tout coule »), a été l'un des premiers penseurs à souligner que nos sens nous présentent des objets fluctuants et que seule la raison permet de dégager une vérité stable, éternelle. Bien plus tard, mais toujours dans cette lignée du scepticisme, Descartes* a souligné que nous n'avons accès qu'à nos propres perceptions : comment, dès lors, les distinguer de celles que nous avons en songe ? En outre, ce que nos yeux nous présentent ne correspond pas toujours à la réalité : nous voyons le bâton se briser

Charles
Le Brun,
Études d'yeux,
v. 1670.
Dessin,
60,5 × 47,5.
Paris, musée
du Louvre.

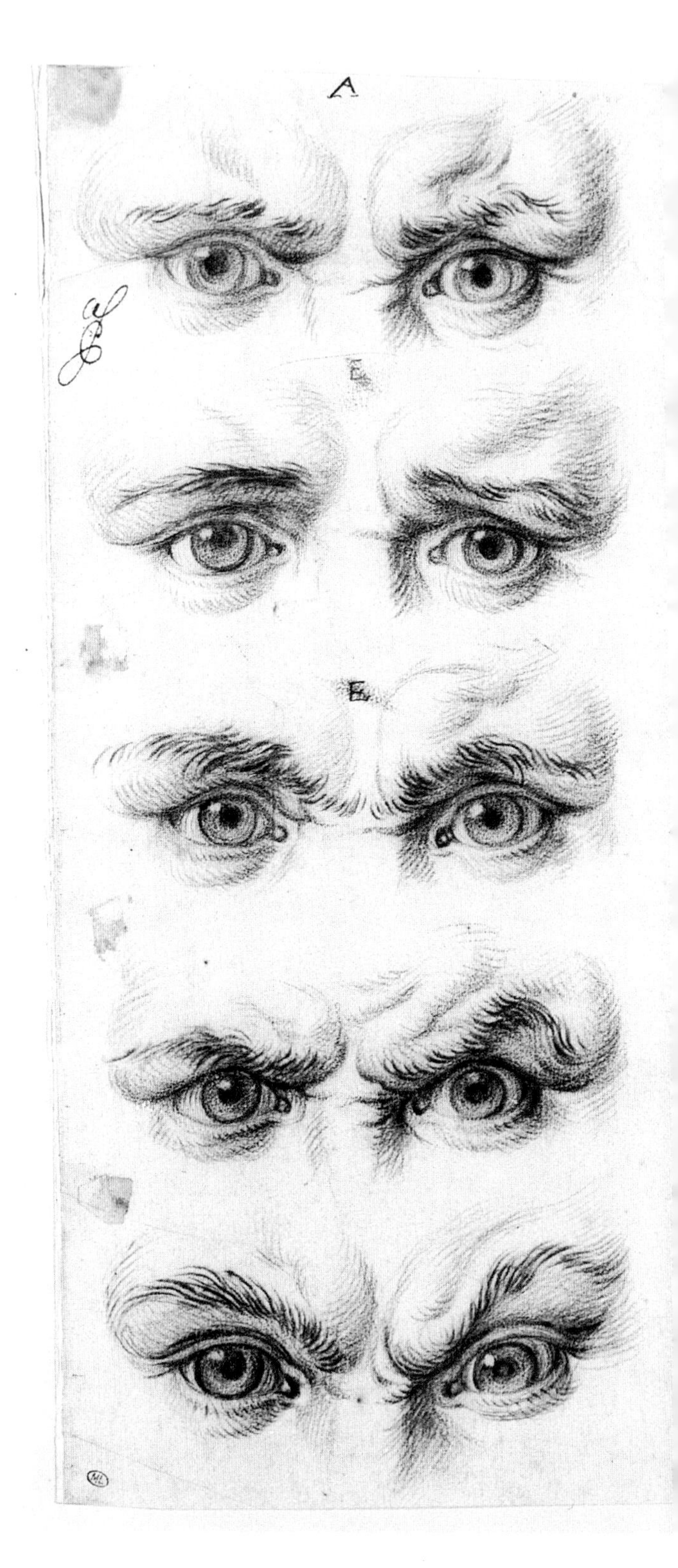

Double page
suivante :
La Vue
(détail).
Tenture
de *La Dame
à la licorne*,
1483-1500.
Paris, musée
national du
Moyen Âge.

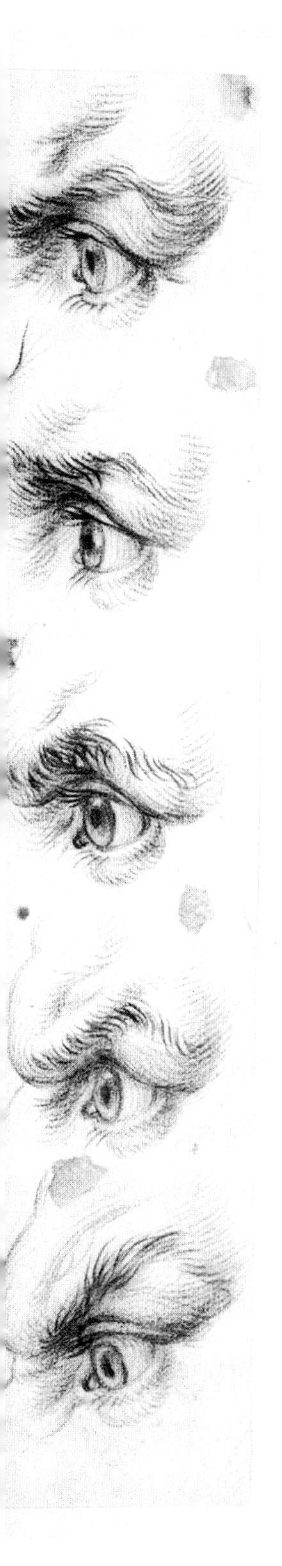

lorsqu'il est plongé dans l'eau, le Soleil se lever et parcourir un demi-cercle dans le ciel, etc. « Tout ce que j'ai reçu jusqu'à présent pour le plus vrai et assuré, je l'ai appris des sens, ou par les sens : or j'ai quelquefois éprouvé que ces sens étaient trompeurs, et il est de la prudence de ne se fier jamais entièrement à ceux qui nous ont une fois trompés », conclut Descartes dans sa *Première Méditation.* La raison, une fois encore, est posée comme seule source assurée du savoir. Berkeley* se montrera plus méfiant encore et plus radical, puisque pour lui les objets extérieurs n'existent que dans la perception que nous en avons.

Le XVIIIe siècle répond à ces spéculations avec un bon sens ironique, déjà présent sous la plume d'Épicure et de Lucrèce. Ainsi, Locke*, précurseur en cela de Diderot, de Buffon et de Condillac*, réplique que s'il « se trouve quelqu'un qui soit assez Sceptique pour se défier de ses propres Sens, & pour affirmer que tout ce que nous voyons, que nous entendons, que nous sentons, que nous goûtons [...] n'est qu'une suite & une apparence trompeuse d'un long songe qui n'a aucune réalité [...] je le prierai de considérer que si tout n'est que songe, il ne fait lui-même autre chose que songer qu'il forme cette question, & qu'ainsi il n'importe pas beaucoup qu'un Homme éveillé prenne la peine de lui répondre » (*Essai philosophique concernant l'entendement humain*, 1693).

C. La « reine des sens »

Dans les séries d'allégories* réalisées par les peintres flamands du XVIIe siècle, les cinq sens font l'objet d'un même traitement. Ces cinq registres sensoriels ne sont toutefois pas interchangeables, et la classification* traditionnelle oppose ceux qui opèrent à distance – la vue, l'ouïe, l'odorat – et ceux qui nécessitent le contact – le toucher, le goût. Dès l'Antiquité, cette classification est instaurée en hiérarchie. Selon les époques, et l'importance accordée au corps (et à ses plaisirs), les sens de contact seront jugés plus ou moins « grossiers », mais la prééminence de la vue sera rarement remise en cause. Pour Aristote*, elle est, « de tous nos

sens, celui qui nous fait acquérir le plus de connaissances » (*Métaphysique*, A, 1). Tout au long du XVIe puis du XVIIe siècle, philosophes, théologiens, scientifiques, médecins, poètes ne cessent de célébrer la pureté et la noblesse de l'œil : sphérique (la sphère est symbole de perfection), précieux puisque la nature a jugé bon de le protéger par les paupières et les sourcils, proche du cerveau* donc de l'âme, il est un « prodige de dioptrique » pour les Encyclopédistes. La lumière, symbole de la spiritualité, est « la plus pure substance dont l'âme reçoive l'impression par les sens », ajoute le chevalier de Jaucourt. Un argument supplémentaire pour faire de la vue « la reine des sens » est son universalité : tous les corps naturels ne peuvent pas être touchés ni goûtés, tous n'émettent pas de sons ni d'odeurs, mais tous sont visibles. Ainsi, « c'est à la vue que nous devons les surprenantes découvertes de la hauteur des planètes, et de leurs révolutions autour du soleil, le centre commun de la lumière ». Cette modalité sensorielle immédiate, qui se joue des distances et nous permet de contempler le ciel inaccessible, est donc la plus spirituelle de toutes, et partant la plus noble.

Omniprésente dans les interrogations philosophiques de Platon jusqu'à nos jours, cruciale dans l'histoire des sciences puisqu'elle est au croisement de l'optique, de la neurophysiologie et de la psychologie de la perception, fondamentale dans tous les arts de représentation, de la peinture* à la photographie* et au cinéma*, la question du visible est restée l'une des constantes de la culture occidentale.

II. Vers les conceptions actuelles

A. Cinq sens… et plus

La liste des cinq facultés perceptives arrêtés par Aristote (« il n'existe pas d'autres sens que les cinq déjà étudiés », *De l'âme*, III 1) est en réalité loin d'être exhaustive. Par exemple, nous sommes capables de nous construire une représentation de l'espace*. Ce véritable sens spatial fait appel aux informations visuelles et auditives, mais aussi à toutes les informations qui nous renseignent sur la position de notre corps. Il s'agit, d'une part, des informations proprioceptives* concernant la position relative de nos membres et du tronc, captées par des récepteurs situés dans les muscles, les tendons et les articulations, et, d'autre part, des informations en provenance de l'appareil vestibulaire situé dans l'oreille*, concernant les mouvements de la tête et sa position par rapport à la verticale. Il ne faut pas oublier que notre perception de l'espace n'a de sens que si nous pouvons, nous-mêmes, nous situer dans cet espace.

Philippe Petit, funambule. Photographie de Martine Franck.

Moins bien connue, et plus délicate à étudier, la sensation de douleur*, dite nociception, est souvent associée au sens du toucher*, mais elle repose en fait sur des récepteurs spécialisés répartis sur l'ensemble du corps.

Enfin, rappelons que nous avons aussi une certaine perception du temps* qui passe. Cette perception repose, sans doute, sur la présence d'oscillateurs jouant le rôle d'horloge interne, mais à ce jour, ils n'ont pas été identifiés. On pense qu'ils interviendraient aussi dans les rythmes biologiques, comme le cycle veille-sommeil.

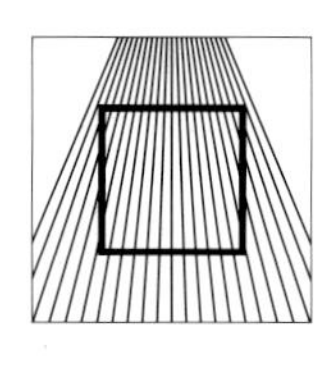

Ci-dessus, à droite : « spirale » de Fraser (il s'agit en réalité de cercles).

B. Les constructions perceptives

Depuis les années 60, et grâce au développement des neurosciences et de la psychologie cognitive, la conception très réductrice de la perception selon le modèle stimulus-réponse n'a plus cours. Nous avons déjà signalé que les illusions* perceptives étaient une illustration du fait que la perception n'est pas une simple et fidèle réplique mentale du monde environnant. Souvent élaborés à dessein, les exemples d'illusions visuelles ne manquent pas où nous voyons converger des lignes en réalité parallèles, où nous jugeons différents des éléments de taille identique, où nous percevons en mouvement* un objet immobile... Il est manifeste que dans toutes ces situations nous élaborons une représentation personnelle des stimulations externes.

Illusion de dimension due au contexte (les trois flacons ont la même taille).

Ceci est tout à fait général et n'est pas réservé à ces cas particuliers d'illusions. La perception est toujours une construction dans notre tête de représentations du monde extérieur. Ainsi en va-t-il par exemple des couleurs*, qui n'existent pas dans les objets mais sont élaborées par le cerveau. Certes, ces constructions perceptives dépendent des caractéristiques des stimulations, des propriétés physiologiques des récepteurs sensoriels et des particularités des traitements nerveux. Mais, au cours de ces traitements, nous interprétons les informations selon nos attentes et nos motivations, nous les comparons à nos connaissances antérieures, nous prenons des décisions, nous effectuons des choix, bref, nous nous construisons une représentation du monde extérieur. Dès lors, pourquoi s'étonner d'un écart par rapport à la réalité, comme dans le cas des illusions perceptives ? Ne serait-ce pas l'inverse, c'est-à-dire la stabilité et la fidélité de nos perceptions, qui devrait nous émerveiller ? Ce que Salvador Dalí disait à propos de la création artistique, « regarder, c'est inventer », est généralisable à toute perception.

Quant à savoir si nous percevons bien le monde tel qu'il est, ne soyons pas trop exigeants. Étant incapables de percevoir les ultraviolets et les infrarouges, insensibles aux ultrasons et aux infrasons, indifférents au champ magnétique, pour ne citer que quelques-unes de nos insuffisances, nous percevons finalement un monde bien différent de ce qu'il est en totalité. La seule représentation immédiate que nous en avons est celle que nous construisons à travers les filtres limités de nos systèmes sensoriels.

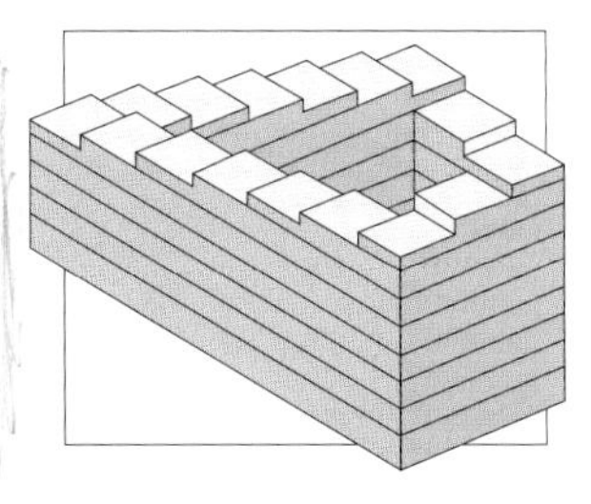

Escalier de Penrose.

C. La perception-action

Ainsi, notre connaissance du monde environnant et les représentations mentales que nous construisons dépendent, en grande partie, des stimulations externes qui viennent frapper nos récepteurs sensoriels. En grande partie seulement, et non pas en totalité, car nous ne sommes quasiment jamais dans une situation complètement inerte où nous ne ferions qu'engranger ces flots d'informations, sans y réagir. Au cours de nos activités quotidiennes, nous sommes en permanence en interaction avec l'environnement par un jeu d'actions et de réactions où les systèmes sensoriels et le système moteur se répondent. Les mouvements oculaires, effectués pour inspecter une scène visuelle, en donnent une parfaite illustration, au point que Merleau-Ponty* suggère que « la vision est palpation par le regard ». Il est donc très restrictif et un peu artificiel de réduire la perception à une simple interprétation des messages sensoriels même si, nous l'avons dit, il convient d'y intégrer les jugements et les prises de décision de l'individu. Dissocier, comme on le fait souvent, la perception et l'action, c'est oublier l'une des fonctions essentielles des conduites perceptives, à savoir la simulation de l'action et l'anticipation* de ses conséquences.

Précisons notre propos par deux exemples. Lorsque nous voulons attraper un objet, l'analyse visuelle nous conduit non seulement à déplacer notre bras correctement vers cet objet, à ouvrir notre main avec l'écartement et l'orientation adéquats, mais également à prévoir les conséquences de cet acte. En particulier, nous programmons la force avec laquelle le geste devra être effectué, ainsi que les compensations posturales nécessaires pour équilibrer son poids. La preuve en est que si l'objet est beaucoup plus léger que prévu, le geste sera inévitablement excessif, et l'objet sera soulevé plus vite et plus haut que souhaité !

Lorsque nous empruntons un escalier mécanique, la vue des premiers plateaux nous permet de programmer les compensations posturales que nécessite la pose du pied sur un sol mobile. Généralement, tout cela se passe avec aisance. Mais si nous nous engageons sur un escalier en panne, les mêmes compensations, inutiles cette fois, seront programmées, entraînant une légère hésitation et un déséquilibre sensible. En affirmant que « la perception est une action simulée », Alain Berthoz (*Le Sens du mouvement*, 1997) insiste sur le fait que l'anticipation est une caractéristique essentielle du fonctionnement des systèmes sensoriels, et que toute perception doit s'étudier en fonction du but poursuivi par l'organisme.

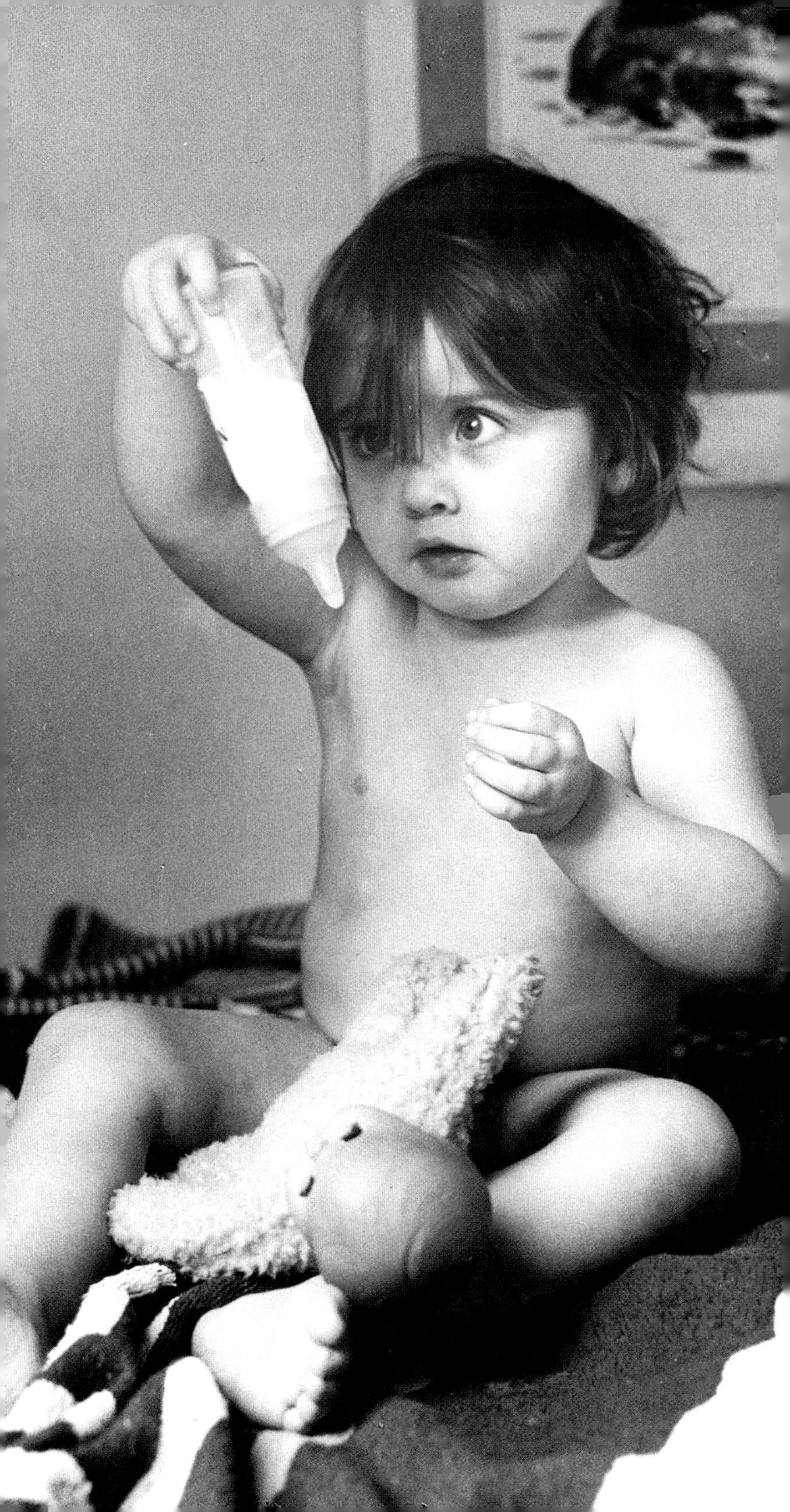

III. La fabrique des sens

A. Réglages et dérèglements

Chez l'homme, comme chez tous les mammifères, les systèmes sensoriels se mettent en place selon un ordre déterminé : toucher, équilibration*, olfaction et gustation, audition, vision. Ils sont aptes à fonctionner bien avant la naissance, mais leur maturité n'interviendra que progressivement avec le développement* du système nerveux. Certaines facultés semblent ne pas requérir d'apprentissage : ainsi en est-il de la perception colorée (l'aptitude à nommer les couleurs sera, elle, longue à acquérir) et de la réponse au sucré et à l'amer. L'aversion pour cette dernière saveur*, en particulier, constitue sans doute une bonne protection contre les substances toxiques, souvent caractérisées par leur amertume.

Les modalités sensorielles n'ayant pas toutes le même statut, il en va de même pour les troubles qui leur sont associés. Seules la vision et l'audition ont donné lieu à des termes spécifiques, cécité* et surdité* ; les dysfonctionnements affectant les autres registres, considérés comme moins handicapants, sont toujours désignés par des mots

Emmanuelle Laborit dans *La Vie silencieuse de Marianna Ucria*, film de Roberto Faenza, 1996.

savants construits par accolement d'un *a-* privatif : agueusie (goût), anosmie (odorat), etc. La perception colorée présente des avantages adaptatifs évidents (meilleure détection des proies et des sources alimentaires), mais chez l'homme ses défauts portent rarement à conséquence : environ 8 % des individus (en majorité des hommes) souffrent souvent sans le savoir d'un dysfonctionnement de la vision colorée, appelé communément daltonisme (les vrais daltoniens ne représentent que 1 à 2 %).

L'étude de quelques troubles* plus complexes comme les agnosies, résultant de lésions cérébrales, a permis et permet encore de grandes avancées dans la compréhension des mécanismes perceptifs. Le rôle actif du cerveau y est chaque fois mis en évidence. En témoignent aussi certains déficits de la proprioception, où les sujets perdent le sens de leur corps et ne situent plus leurs membres que par la vue, ou bien au contraire ressentent des douleurs dans des membres dont ils ont été amputés (membres fantômes). En témoignent encore les hallucinations*, qui sont des sensations en l'absence de stimuli (à l'inverse de la très controversée perception subliminale*).

B. Une anthropologie des sens

Si les « fenêtres » sensorielles diffèrent d'une espèce à une autre, elles sont relativement constantes à l'intérieur d'une même espèce puisque fixées génétiquement. Mis à part les déficiences génétiques citées plus haut (daltonisme, etc.), nous disposons tous peu ou prou du même équipement sensoriel, et les quelques différences physiologiques existant par exemple en matière de gustation* sont négligeables en regard des différences socioculturelles. La diversité des arts culinaires* à travers le monde est la manifestation la plus évidente du rôle de la culture* dans l'énoncé des préférences et des interdits alimentaires. De même, certaines odeurs* agréables aux uns seront jugées repoussantes par les autres. Les arts tels que la musique* et la danse* font aussi preuve d'une belle variété dans le traitement du mouvement, de l'espace, du temps, de l'harmonie.

Les ethnologues, depuis la fin du XIXe siècle, ont tenté de dégager les influences environnementales, sociales et culturelles agissant sur les

comportements perceptifs. Bien que la tâche soit délicate, il ressort de ces études que la culture désigne, parmi le flux infini des stimuli, ceux qui méritent d'être perçus et, parmi ceux-ci, ceux qui sont « bons » ou « mauvais ».

Apparue plus récemment, une « anthropologie des sens » permettrait de comparer les sociétés selon l'importance qu'elles accordent aux divers registres sensoriels ; il y aurait ainsi des cultures « plus orales-auditives que visuelles (comme les sociétés sans écriture qui dépendent plutôt de l'oreille que de l'œil pour la communication) » (D. Howes, 1990). Cette approche n'est pas toujours aisée, quand on sait que la vision, pour ne citer qu'elle, ne relève pas seulement de la perception mais se déploie dans un espace symbolique et métaphorique à plusieurs dimensions. « Aucun regard ne se porte nu et comme intact sur le monde. Aucun des gestes innombrables de la sensation n'est libre de lui-même, du poids de l'histoire, du poids de la culture » (C. Havelange, 1998).

C. Prolonger et décupler les sens

Par nature, l'homme est culturel. Grâce au langage, il découpe et abstrait des éléments du monde pour les manipuler à sa guise. Mais cette opération se veut aussi plus concrète puisqu'il cherche à capter l'insaisissable, à commencer par l'image. L'origine que donne Pline l'Ancien aux arts plastiques est à cet égard révélatrice : une jeune fille, triste à l'idée de voir partir son amant, prend un morceau de charbon dans l'âtre et trace les contours de l'ombre aimée qui se projette sur le mur ; puis son père, potier de son état, utilise de l'argile pour donner du volume à cette silhouette. Emprisonner l'image, la détacher de son modèle et la reproduire à volonté, tel est l'objet de cette longue recherche qui aboutira à la photographie, puis au cinéma. L'enregistrement* du son a une histoire plus courte, mais participe à ses débuts d'un même désir de combler l'absence.

Les développements de la science n'ont cessé de fournir à l'homme des prothèses qui sont autant de prolongements de ses organes sensoriels : la lunette de Galilée révèle les satellites de Jupiter, le microscope permet à Van Leeuwenhoek d'observer les « animalcules de la semence », la chronophotographie analyse le mouvement d'un cheval au galop, les rayons X de Röntgen montrent l'intérieur des corps... Aujourd'hui, les nouvelles techniques d'imagerie cérébrale permettent de « voir » le cerveau en activité, le satellite COBE donne une image de l'Univers tel qu'il était il y a 10 ou 15 milliards d'années, et le microscope à effet tunnel permet de visualiser les atomes. Par ailleurs, notre environnement ne cesse de s'enrichir de stimulations artificielles*, qu'il s'agisse de la lumière monochromatique du laser, de couleurs, de parfums ou d'arômes qui n'existent pas dans la nature.

Le numérique constitue une étape supplémentaire puisqu'il libère la production des images et des sons de leurs modèles analogiques. La réalité virtuelle* ouvre désormais de nouveaux champs d'exploration multisensorielle*, avec le traitement conjoint d'informations visuelles, sonores et tactiles.

Jean-Didier BAGOT et Christine EHM

Tête et thorax d'une mouche noire « vue » au microscope électronique.

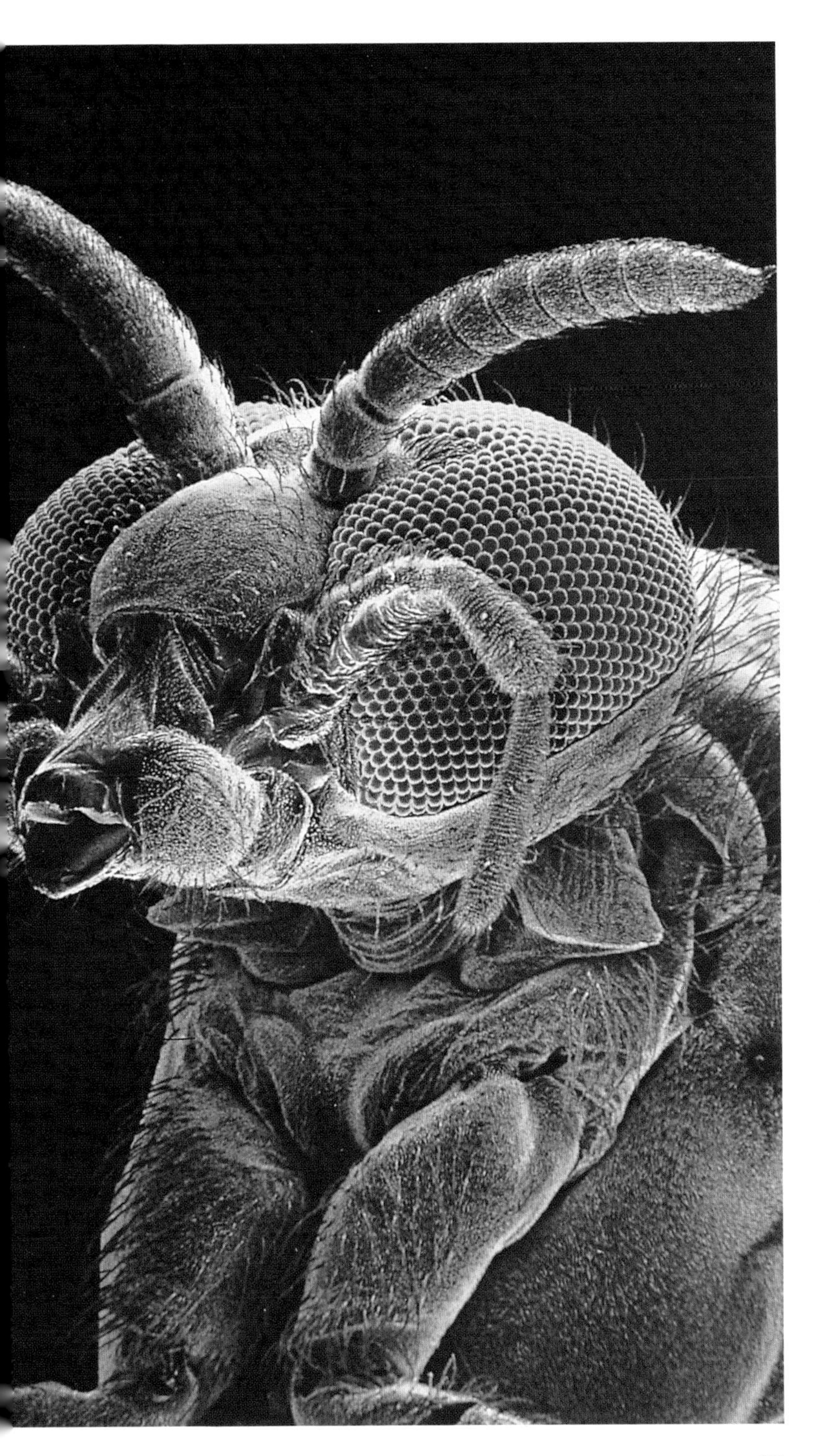

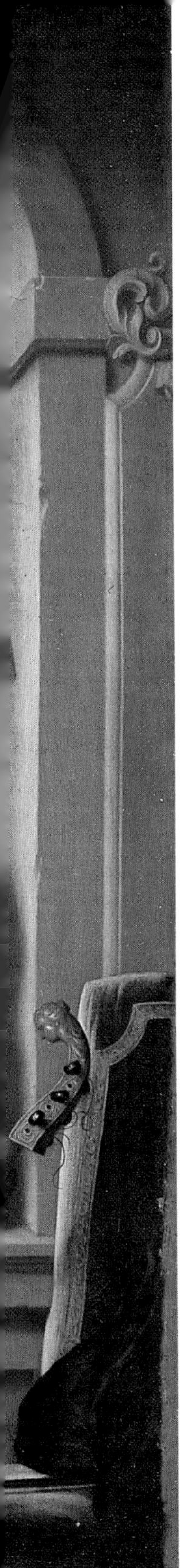

Allégorie

Les cinq premières tapisseries de *La Dame à la licorne* (musée de Cluny, fin du XVe s., ill. p. 16) sont traditionnellement interprétées comme une allégorie des sens : une jeune femme y est montrée successivement avec un miroir, un orgue, une licorne qu'elle caresse, un plat de friandises, une couronne de fleurs. Le sixième panneau porte l'inscription : « À mon seul désir », c'est-à-dire « selon ma seule volonté, sans assujettissement aux sens ». Dans la peinture* ou la gravure, les sens sont représentés le plus souvent sous les traits de cinq femmes : la Vue se regarde dans un miroir (ou tient parfois une torche allumée) ; l'Ouïe tient un luth (à la Renaissance) ou un violon (au XVIIe siècle) ; le Goût porte un panier de fruits, l'Odorat un bouquet de fleurs ou un vase de parfums ; au XVIe siècle, le Toucher est accompagné d'un hérisson (piquant) et d'une hermine (douceur), tandis qu'au siècle suivant il sera figuré par de tendres baisers, par des jeux de cartes ou par un chirurgien pratiquant une saignée.

Pour les peintres flamands du XVIIe siècle, il s'agit avant tout de présenter l'inventaire exhaustif des objets du monde sensible, et beaucoup de ces tableaux, dont ceux de Brueghel de Velours, sont aussi des représentations des cabinets d'amateurs. Parce que le visible et le tangible s'opposent au fugitif – les sons, les goûts, les odeurs –, les Cinq Sens rejoignent parfois le thème plus philosophique des « vanités », comme dans les compositions de Stoskopff (*Grande Vanité*, 1641, Strasbourg). Ils peuvent encore s'entrecroiser avec d'autres schémas de classement, tels que les Quatre Saisons et surtout les Quatre Éléments (ill. p. 4). CE

Animal (Monde)

Chaque espèce animale élabore sa perception de l'environnement à partir des informations livrées par ses systèmes sensoriels. La perception colorée, par exemple, est subordonnée aux pigments* de la rétine : elle est absente chez les mammifères, à quelques exceptions près dont les primates ; elle est sans doute plus riche que la nôtre chez les oiseaux diurnes ; chez les invertébrés, elle n'existe que chez quelques ordres d'insectes, et leur spectre visible est décalé par rapport au nôtre : les

Philip Van Dyck (1680-1753), *Les Cinq Sens*. H/b 485 × 383. Lille, musée des Beaux-Arts.

Chauve-souris avec proie.

abeilles, les guêpes, les fourmis sont insensibles aux longueurs d'onde que nous associons au rouge, et très sensibles aux ultraviolets. De nombreuses espèces ont en effet des univers sensoriels auxquels nous n'avons pas accès naturellement. Le crotale, dépourvu de perception colorée, dispose de récepteurs à infrarouges qui lui permettent de localiser une proie même dans l'obscurité totale. La chauve-souris, presque aveugle, utilise les sons* pour éviter les obstacles et capturer ses proies ; dauphins et marsouins, en milieu aquatique, font usage du même procédé d'écholocation. Le poisson-chat peut détecter de faibles champs électriques provenant de certaines proies ; certains poissons électriques, tel le mormyre, créent autour d'eux des champs électriques et en détectent les perturbations dues à la présence d'un objet ou d'un animal. Quant aux pigeons voyageurs, ils s'orienteraient notamment grâce au champ magnétique terrestre. CE

Joueur de tennis anticipant la réception de la balle.

Anticipation

Les théories actuelles sur la perception, très éloignées de sa description en termes de stimulus-réponse, la présentent comme une construction active de notre cerveau*. Les idées les plus récentes vont même plus loin en avançant que le cerveau est une machine à anticiper : il ne se contente pas d'élaborer des représentations à partir de stimuli sensoriels, mais établit des analogies avec des situations passées grâce à la mémoire*, fait des hypothèses, simule l'action à venir et en prédit les conséquences. Un prédateur doit savoir préparer son corps à la capture et anticiper la trajectoire de sa proie pour l'intercepter là où elle sera et non là où il la voit. Lorsqu'un déplacement nous rapproche d'un obstacle, la vitesse de dilatation de l'image de cet obstacle sur la rétine* serait un indicateur suffisant du temps jusqu'à l'impact pour nous permettre de programmer son évitement (Lee, 1976). Le simple geste de prendre un objet est en soi très complexe : bien avant le contact, la main* s'adapte à la forme de l'objet et l'activité musculaire déclenchée prend déjà en compte certaines caractéristiques estimées, tel son poids. Nous n'avons conscience de cette préparation que lorsque nous nous trompons. Le cerveau disposerait ainsi de « modèles internes » intégrant les lois naturelles du mouvement (gravité, inertie...), construits par apprentissage et susceptibles d'adaptation. CE et JDB

Aristote. Détail de *L'École d'Athènes* par Raphaël, v. 1510-1512. Vatican, Chambre de la Signature.

ANTIQUITÉ
Des conceptions matérialistes

Si la vision* l'emporte sur les autres sens dans les théories modernes, les modèles anciens pour la perception sensible sont l'olfaction* et le toucher*. Ainsi Empédocle, qui conçoit la connaissance comme l'attraction du semblable par le semblable, affirme que des choses émanent des effluves qui passent à travers les pores des sujets percevants de manière sélective (même la couleur* « est un effluve des choses qui est adapté à la vue », cité dans le *Ménon* platonicien).
D'après Démocrite, les sensations* sont causées par la rencontre des atomes des objets externes avec les atomes de feu de l'âme sensitive. Dans le cas de la vision, des ombres reproduisant en format réduit les corps (*eidôla*) se détachent de ceux-ci et produisent une impression sur la pupille. La connaissance sensorielle, relevant des chocs entre les atomes, est obscure, et seule la connaissance intellectuelle est authentique. Ainsi la couleur, le doux et l'amer ne sont que des conventions, la réalité étant constituée par les atomes et le vide (fragment 125).
Les théories épistémologiques des présocratiques relèvent le défi de Parménide, pour qui la réalité est saisie par la pensée, et l'apparence sensible, trompeuse. Dans ces théories qui nous frappent par la cohérence de leur matérialisme, il est difficile de discerner les phénomènes physiques des phénomènes perceptifs : tout passage d'effluves à travers des pores, tout choc entre les atomes, même en dehors de la sphère psychologique, risque d'être considéré comme un cas de perception. RC

Aristote

Dans la *Métaphysique*, Aristote classe les sens selon leur contribution à la connaissance. C'est dans cette optique qu'il faut aussi considérer son approche dans le traité *De l'âme*, où il reprend la séparation platonicienne entre sensation* et pensée tout en acceptant que la connaissance intellective se fonde sur la sensibilité. L'âme sensitive, à mi-chemin entre l'âme végétative et l'âme intellective, est capable de sensation. Le sens le plus simple est le toucher*, qui est commun à tous les animaux et qui constitue un modèle pour la cognition. « Le sens est la faculté apte à recevoir les formes sensibles sans la matière, de même que la cire reçoit l'empreinte de l'anneau sans le fer ni l'or » (*De l'âme*, II, 12, 427a 17). Il est important de remarquer qu'Aristote distingue clairement entre la sensation et son objet. Les chapitres 6-11 du traité *De l'âme*

« Tous les hommes désirent naturellement savoir ; ce qui le montre, c'est le plaisir causé par les sensations, car, en dehors même de leur utilité, elles nous plaisent par elles-mêmes. »

Aristote, *Métaphysique*, A, 1.

sont ainsi consacrés à une étude descriptive des objets des cinq sens. Aristote range d'un côté (B 418a) les sensibles propres à chaque sens (couleur* pour la vue, son* pour l'ouïe, chaud* et froid pour le toucher), de l'autre les sensibles communs, propres à plusieurs sens (la forme*, qui est visible et tangible). Cette manière de classer les qualités fonde aussi la distinction moderne entre qualités secondes (couleurs, sons) et premières (formes), bien que les modernes donnent à cette distinction un sens nouveau, les qualités premières relevant de la nature et les qualités secondes marquant la contribution de l'esprit à la représentation du monde. RC

Arôme

L'arôme, souvent confondu avec le parfum* ou la saveur* d'un aliment, est l'ensemble des substances odorantes perçues par voie rétronasale, et non directement par le nez*. Ces fractions volatiles, chauffées dans la bouche, sont aspirées à l'arrière de la cavité buccale et atteignent ainsi la muqueuse olfactive. Plusieurs milliers de molécules aromatiques ont été identifiées dans les aliments les plus courants ; les spécialistes de l'art culinaire* savent qu'elles sont fragiles et qu'une cuisson trop vive ou trop longue peut les dénaturer. Le vin offre un parfait exemple de leur complexité : les arômes primaires, caractéristiques du cépage, présentent des notes fruitées (banane, framboise...) ou florales (tilleul, rose, acacia...) ; les procédés de vinification y ajoutent d'autres arômes, dits fermentaires ; le vieillissement, enfin, apporte les notes épicées, de vanille ou de fruits cuits qui donneront au vin son bouquet. Le tabac n'est pas en reste, et les amateurs de cigares apprécient les arômes de gibier et de miel des puissants havanes.

Dans le domaine strictement alimentaire, trois catégories d'arômes sont distinguées : naturels, identiques au naturel (de même composition chimique que leurs analogues naturels, mais obtenus par synthèse) et artificiels*. CE

Artificiel

L'homme, passé maître dans l'art culinaire*, a toujours pris plaisir à modifier ses aliments naturels, soit en les faisant cuire ou fermenter, soit en leur ajoutant des substances dépourvues de valeur nutritive comme les épices ou les aromates. L'évolution des modes et des habitudes

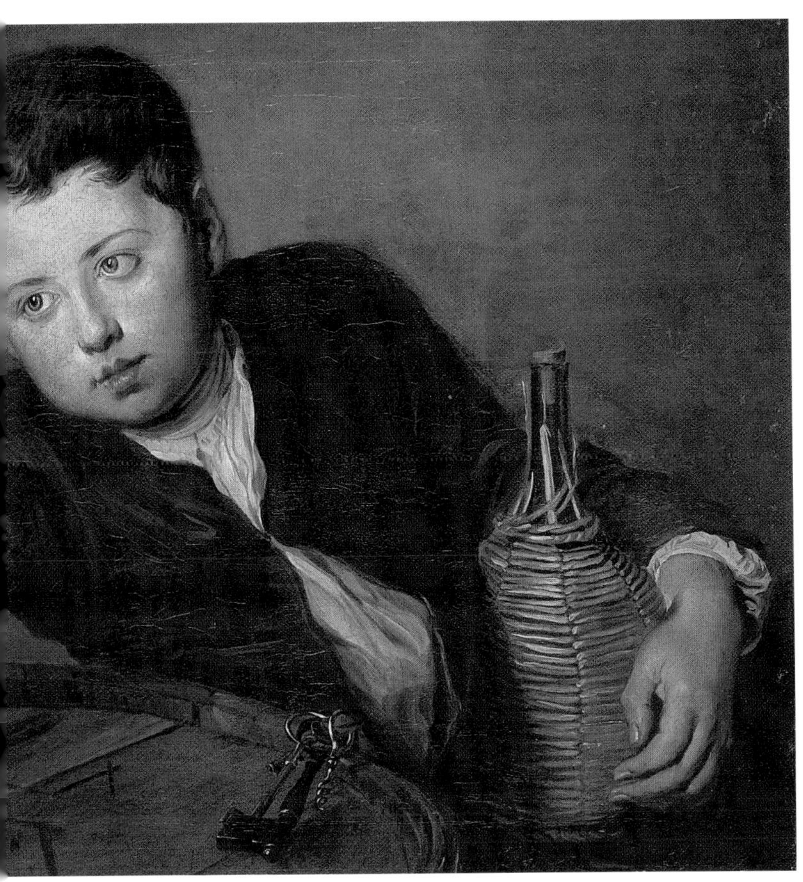

Philippe Mercier (1689-1760), *Le Jeune Dégustateur.* H/t 50 × 67. Paris, musée du Louvre.

alimentaires a créé de nouveaux besoins. Nous consommons de plus en plus de produits industriels, mais nous exigeons qu'ils aient les mêmes qualités aromatiques, olfactives, gustatives, texturales et colorées que leurs archétypes naturels. Or, les traitements de transformation et de conservation des produits entraînent souvent des pertes aromatiques qu'il faut compenser ; d'autre part, certains arômes naturels, comme celui de la fraise, ne sont pas suffisamment puissants et doivent être renforcés ; enfin, les confiseries et les boissons fantaisies,

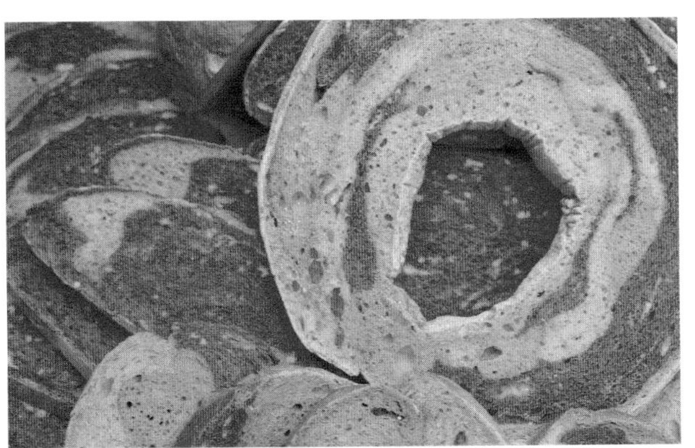

Dorothée Selz, *Pains colorés*, 1998.

entièrement fabriquées, requièrent une aromatisation complète. Face à cette demande, la synthèse chimique offre l'avantage d'une production en grande quantité, indépendamment des problèmes de récoltes, et à coût réduit. La création de molécules artificielles, non répertoriées dans la nature, intéresse surtout l'industrie du parfum*, et l'agroalimentaire reste très traditionnel à cet égard. Traditionnel aussi l'emploi des colorants chimiques, qui doivent toujours s'inscrire dans la gamme limitée (jaune, vert, blanc, rouge) des produits naturels ; les codes sont ici de rigueur : le bleu, quand il ne connote pas la menthe forte, est réservé à l'industrie pharmaceutique (calmants, somnifères). CE

Attention

Si nous devions traiter systématiquement toutes les informations sensorielles que notre corps reçoit en permanence, nous serions rapidement submergés. Au contraire, nous sélectionnons certaines informations utiles et en négligeons d'autres, moins pertinentes. L'attention est toute la différence que fait la langue courante entre « voir » et « regarder », entre « entendre » et

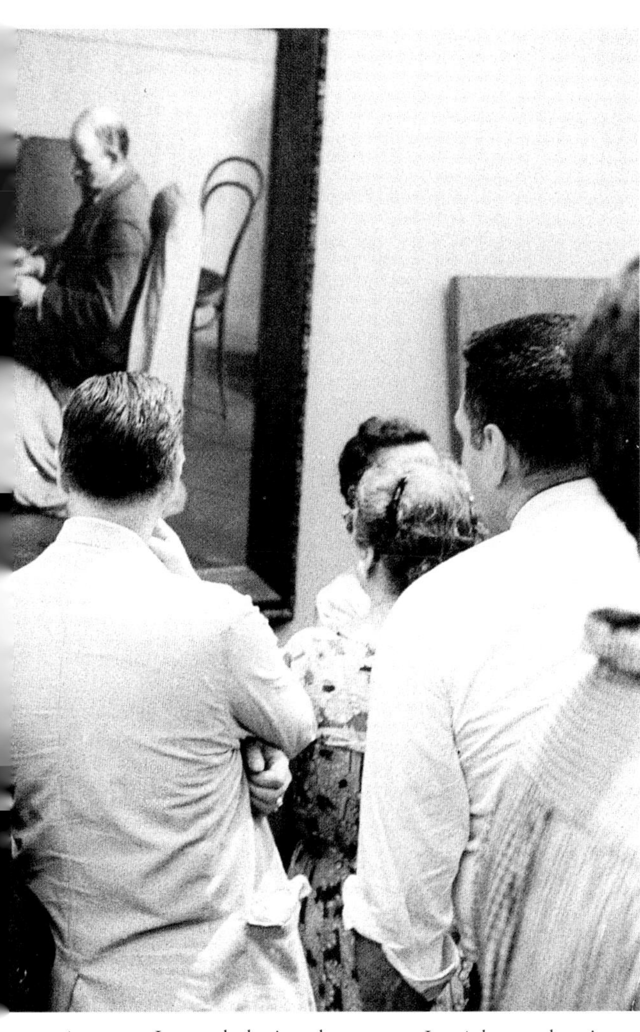

Paris, musée du Louvre, 1959. Photographie d'Elliott Erwitt.

« écouter ». La psychologie et la physiologie, comme le lexique, se sont pour l'instant cantonnées aux domaines de la vision* et de l'audition*.
Bien qu'aucune définition de l'attention ne fasse encore l'unanimité, on s'accorde à distinguer attention sélective et attention partagée. Le premier mécanisme est celui qui, dans un cocktail, nous permet de suivre les propos de notre interlocuteur sans être distrait par les conversations voisines ; le second consiste à distribuer l'attention entre plusieurs stimuli, c'est-à-dire à suivre plusieurs conversations en même temps. La tâche, on le sait, est ardue. Si des processus automatiques nous permettent de faire deux choses à la fois, comme suivre une conversation en conduisant, il est très difficile d'être attentif à deux choses à la fois si l'une des deux tâches n'est pas automatisée. Les théories proposées pour rendre compte de ces processus attentionnels sont nombreuses et recourent à diverses métaphores (« faisceau attentionnel », « goulet d'étranglement », « filtrage »...). Les modèles les plus récents insistent sur les liens existant entre attention, apprentissage et mémoire*. CE et JDB

Jan Brueghel de Velours
et Pierre Paul Rubens,
Allégorie des sens : L'Ouïe,
1617. H/t 65 × 107.
Madrid,
Museo del Prado.

AUDITION

Chez l'homme, l'audition revêt une importance considérable car elle est associée à la parole, mais elle fournit également des informations sur les distances, les mouvements*, les volumes, etc.

La sensation auditive est caractérisée par trois grandeurs : la sonie, qui correspond au niveau sonore perçu ; la hauteur tonale, qui échelonne les sons* du grave à l'aigu ; le timbre, qui dépend du contenu spectral et nous permet de distinguer par exemple un *la* produit par un piano de la même note jouée sur un violon. Ces grandeurs, liées de façon très complexe aux paramètres physiques (fréquence, intensité), sont purement subjectives. Ainsi, la sonie n'est pas l'équivalent strict de l'intensité acoustique car elle dépend de la fréquence et de l'environnement sonore ; un son faible peut être masqué par des sons de niveau plus élevé (le frigidaire paraît toujours plus bruyant dans le silence de la nuit) et un son de niveau normal peut être perçu comme faible après l'écoute prolongée d'un autre son de niveau élevé (fatigue auditive).

Dans les situations naturelles d'écoute, l'oreille* reçoit un mélange de vibrations sonores provenant de sources différentes. Nous distinguons pourtant sans effort, même les yeux fermés, des « formes » auditives : une conver-

sation dans la pièce voisine, un vrombissement de moteur dans la rue, le pas d'une personne familière, la musique* du locataire du dessus... L'activation de schémas appris (le son de notre nom par exemple), qu'elle se fasse automatiquement ou par une attention* volontaire, ne suffit pas à rendre compte de la perception auditive dans toute sa complexité. Depuis une quinzaine d'années, l'approche cognitive de ces phénomènes a permis de dégager les principaux processus de traitement de l'information acoustique. Quatre stratégies ont été proposées, similaires aux principes de regroupements des psychologues gestaltistes* et reposant sur l'exploitation des régularités acoustiques : synchronisme (tendance à regrouper deux sons qui démarrent et s'arrêtent au même moment), continuité (un son varie progressivement, si bien qu'un changement brusque sera interprété comme un nouvel événement sonore), harmonicité (tendance à regrouper les sons dont les fréquences sont les multiples d'une même fréquence fondamentale), cohérence des variations (tendance à regrouper les sons qui varient simultanément et de manière identique). Chacune de ces stratégies peut être sujette à l'erreur, comme en témoignent les illusions* auditives, mais leur redondance nous permet en général d'élaborer une représentation cohérente du monde sonore. CE et JDB

Aveugle-né

En 1688, le savant irlandais William Molyneux soumit à son ami John Locke* la question suivante : supposons qu'un aveugle de naissance ait appris à distinguer par le toucher* une sphère d'un cube et qu'il recouvre la vue, pourra-t-il, en les voyant sans les toucher, les discerner ? Il posait ainsi la question théorique de la capacité de différents sens à porter une information spatiale commune. Le problème de Molyneux a fasciné les plus grands esprits du temps. La majorité d'entre eux, dont Locke, Berkeley* et Condillac*, a répondu négativement, estimant que les sensations visuelles ne sont pas immédiatement spatiales et qu'une expérience simultanée de la vue et du toucher est nécessaire pour que des idées d'espace* leur soient associées.

Les observations des aveugles de naissance opérés à l'âge adulte ont apporté une réponse essentiellement négative à la question de Molyneux. La reconnaissance visuelle immédiate des formes* et des objets leur est impossible, et ils doivent se soumettre à un apprentissage visuel

long, pénible et aux résultats souvent décevants. Il apparaît en fait que des stimulations visuelles précoces sont nécessaires à la maturation d'un système visuel fonctionnel.
De multiples variantes du problème de Molyneux sont aujourd'hui étudiées par les psychologues. Il semble qu'il existe des formes très précoces de transfert d'information d'un sens à un autre, mais que l'expérience et le mouvement* soient néanmoins essentiels à une bonne intégration de ces informations issues des différents sens. EP

Berkeley (George)

Dans le *Traité des principes de la connaissance humaine* (1710) et dans *Trois dialogues entre Hylas et Philonous* (1713), Berkeley (1685-1753) rejette deux distinctions chères à Locke*. Pour Berkeley, les idées des qualités premières sont tout aussi relatives que celles des qualités secondes ; aucune ne peut être considérée comme l'image d'un monde matériel indépendant de l'esprit. D'autre part, Locke distingue les qualités (premières ou secondes) attribuées à la chose réelle et nos idées de ces qualités, immédiatement per-

Pieter Bruegel l'Ancien, *La Parabole des aveugles*, 1568. H/t 86 × 154. Naples, Gallerie Nazionali di Capodimonte.

çues ; pour Berkeley, au contraire, les qualités sensibles sont les idées que nous percevons immédiatement ; elles ne sont inhérentes à aucune substance matérielle. La chose réelle du sens commun – le soleil, la table – est une collection d'idées qui n'existent pas en dehors de l'esprit.
Dans un ouvrage antérieur, *Essai pour une nouvelle théorie de la vision* (1709), Berkeley supposait encore que les objets tangibles ont une existence en dehors de l'esprit. Il s'efforçait alors de montrer qu'il en va autrement des objets de la vue. Les idées visibles ne sont pas extérieures à nous, situées à distance ; elles nous suggèrent seulement, par habitude, certaines autres idées, par exemple tangibles.
Sur la question de Molyneux concernant les aveugles*-nés, Berkeley prend position. Pour lui, il n'y a pas de sensibles communs : ce que nous percevons est propre à chaque modalité sensorielle. Seule l'habitude nous suggère une communication entre les sens. Berkeley considérait les premières opérations de la cataracte, dès 1709, comme une confirmation empirique de sa position. JD

Cécité

Les causes de la cécité sont multiples : opacité du cristallin (cataracte), congénitale ou due au vieillissement* ; décollement de la rétine* ; affection du nerf optique ; atteinte cérébrale, etc.

Ordinateur braille.

À droite : Localisation des aires sensorielles sur le cortex.

En 1784, Valentin Haüy crée à Paris une école spécialisée pour les jeunes aveugles*. Aujourd'hui, grâce notamment à l'ordinateur (adapté au braille), un nombre toujours plus varié de formations professionnelles leur est offert.
À côté de la traditionnelle canne blanche et du chien-guide, des systèmes de « substitution sensorielle » se sont développés, comme les « cartes tactiles » qui permettent aux aveugles de s'orienter dans les lieux publics. Apparus dans les années 60, des dispositifs projetant tactilement sur la peau*, point par point, l'image issue d'une caméra vidéo fournissent une certaine compensation visuelle, mais leur usage reste délicat.
Localisés dans le cortex visuel, un traumatisme, une tumeur ou un accident vasculaire peuvent produire une cécité partielle (scotome), c'est-à-dire ne touchant qu'une partie du champ visuel. Interrogés sur ce qu'ils perçoivent dans cette zone, les sujets affirment qu'ils ne voient rien ; toutefois, des tests ont révélé que certains d'entre eux sont capables de localiser une source lumineuse et de détecter des mouvements. Ils « voient » donc, sans en avoir conscience.
Cet étonnant phénomène de « vision aveugle », qui suscite encore un grand nombre de recherches, témoigne de la pluralité des voies acheminant l'information de la rétine au cerveau*. CE et JDB

■ CERVEAU : DES AIRES PLUS OU MOINS SPÉCIALISÉES

Dès le milieu du XIXe siècle, les travaux de Broca, Ferrier et Munk plaidaient en faveur de la localisation des fonctions cérébrales. Depuis la description des aires corticales par Brodmann (1910), on sait que les organes des sens sont connectés à des régions distinctes du cortex cérébral : aires occipitales pour la vision*, temporales pour l'audition*, pariétales pour le toucher*, etc. Jusqu'au milieu des années 70, le schéma général qui prévalait était assez simple : un stimulus, par exemple lumineux, est capté par les récepteurs de la rétine* ; l'activation de ces récepteurs déclenche l'envoi d'un message nerveux, acheminé le long d'une chaîne de neurones jusqu'au cortex visuel où il est « décodé ». La sensation (passive) et la compréhension (active) étaient ainsi envisagées comme deux fonctions séparées, à la fois dans le temps et dans l'espace. Le développement des neurosciences a bousculé ce schéma dualiste. Tout d'abord, chaque modalité sensorielle ne dispose pas d'une unique voie de transmission ; d'autre part, chaque neurone faisant relais effectue un traitement de l'information avant de générer son propre message ; enfin, chaque aire sensorielle ne constitue pas un terminus de décodage : le traitement se poursuit dans d'autres régions du cortex, et chaque traitement intermédiaire peut influencer en retour les étapes précédentes. Outre ces aires spécialisées, dites « primaires », bien d'autres régions du cortex sont impliquées, dont certaines sont des lieux de convergence de plusieurs sens (pour la vision, une trentaine d'aires ont été répertoriées). S'il n'existe pas d'instance unificatrice, ce sixième* sens qui selon Aristote* synthétiserait tous les autres, le caractère multisensoriel de la perception est bien réel. On connaît le lien étroit unissant olfaction* et gustation* ; des expériences récentes (Gross et Graziano, 1994) ont révélé des liens plus profonds encore puisque certains neurones, qui s'activent lorsqu'un doigt touche notre joue, s'activent aussi quand le doigt s'approche de la joue sans la toucher. La vision, dont Merleau-Ponty* disait qu'elle est « palpation par le regard », anticipe le contact. CE et JDB

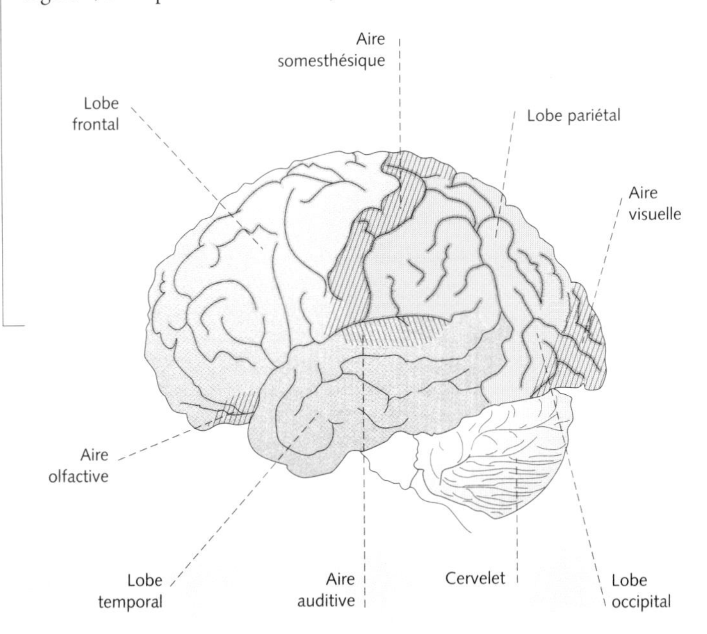

Exercice matinal dans la grande piscine découverte de Moscou, 1976. Photographie de Carl de Keyzer.

Chaud et froid

D'un point de vue physique, la chaleur est une forme d'énergie résultant de l'agitation des particules de matière, et un corps froid n'est finalement qu'un corps auquel on a ôté de la chaleur. Notre peau* nous fournit toutefois des sensations thermiques dont les qualités sont opposées, et ce en raison de la présence de récepteurs distincts sensibles spécifiquement au chaud ou au froid. Ainsi, la surface de la main* possède en moyenne, par cm^2, 1 à 5 points sensibles au froid et 0,4 au chaud. Ces thermorécepteurs ne décèlent pas la température absolue mais les variations de température par rapport à celle de la peau, appelée point de neutralité thermique (environ 33 °C). Une eau tiède paraît chaude pour la main provenant d'une eau froide, et froide pour la main provenant d'une eau chaude.

Les seuils de perception dépendent aussi de la vitesse de variation (un refroidissement très progressif de la peau peut n'être détecté que pour un écart de 4 °C) et de la taille de la surface cutanée exposée. Pour des variations de température raisonnables, les thermorécepteurs s'adaptent, et après quelques secondes la sensation initiale de chaud ou de froid n'est plus ressentie. Au-delà des zones de sensibilité (de 12 à 35 °C pour les récepteurs au froid, de 30 à 48 °C pour les récepteurs au chaud), c'est une sensation de douleur* qui apparaît. CE et JDB

Chevreul (Eugène)

La nomination du chimiste Chevreul (1786-1889) à la tête du département des teintures à la Manufacture royale des Gobelins, en 1826, répondait à une exigence de rationalisation des procédés de teinture, jusque-là fondés sur des recettes empiriques. Les nouvelles méthodes chimiques, si elles résolvaient les problèmes de stabilité, se révélaient toutefois incapables d'améliorer maintes qualités des couleurs* lorsque celles-ci étaient juxtaposées ; par exemple, le noir utilisé pour les ombres sur des objets bleus ou violets apparaît sans vigueur. Chevreul attribua correctement ce défaut à un phénomène de contraste, quoiqu'il l'expliquât de façon erronée par l'hypothèse d'une réflexion, par l'objet coloré, d'une couleur complémentaire à celle de l'objet. L'explication retenue aujourd'hui prend en compte le fonctionnement excitatoire-inhibitoire de la rétine* à l'échelle locale : si une région rétinienne s'active dans la gamme du rouge, les régions avoisinantes inhibent l'impression du rouge, produisant une impression de vert – la complémentaire. Le phénomène du contraste, bien connu des peintres* avant Chevreul, fit l'objet d'une intense expérimentation artistique inspirée partiellement par l'œuvre du chimiste. Delacroix et Seurat connaissaient les textes de Chevreul ; Signac lui rendit visite pour discuter de questions théoriques. Dans ce siècle, J. Albers a obtenu d'intéressants résultats artistiques par la simple exhibition de contrastes. RC

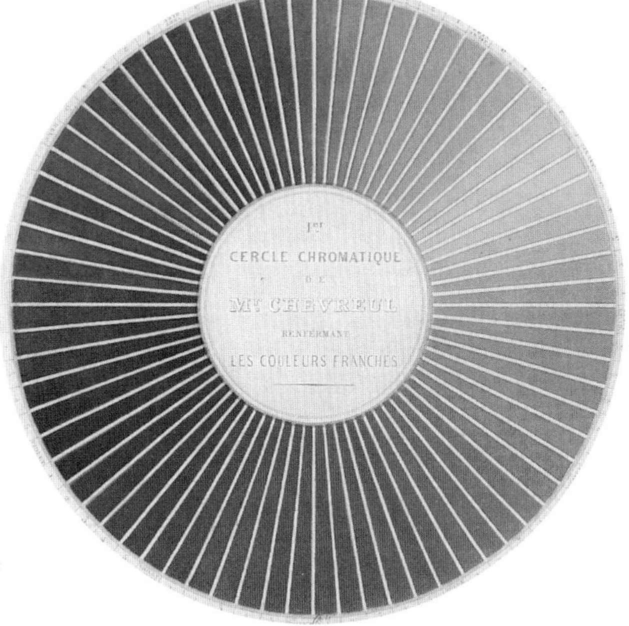

Eugène Chevreul, *Premier cercle chromatique... Des couleurs et de leurs applications aux arts industriels*, 1864.

Salle de projection de la Géode, Cité des sciences de La Villette, Paris.

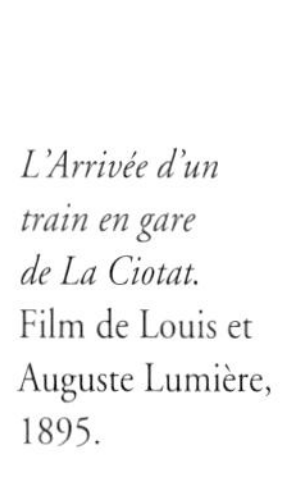

L'Arrivée d'un train en gare de La Ciotat. Film de Louis et Auguste Lumière, 1895.

Cinéma

Le 28 décembre 1895, les spectateurs du Grand Café frémirent sur leurs sièges de peur d'être écrasés par le train arrivant en gare de La Ciotat. Comparée aux sensations que nous offrent aujourd'hui le cinéma « total » (géode), le cinéma en relief* (Futuroscope) et les univers virtuels*, cette réaction peut paraître naïve. Nous avons appris à déchiffrer le langage cinématographique, avec ses visages en gros plan et ses changements brusques d'angle de vue, aussi simplement que nous prenons connaissance de notre environnement. Dans ce plaisir qui consiste à nous duper nous-mêmes, nos sens réclament des dispositifs d'images* de plus en plus sophistiqués. Cet effet de réel fut exploité au XVIIe siècle, quand le jésuite Athanase Kircher préconisa l'emploi de projections lumineuses pour la propagation de la foi. Les images de Dieu et des saints, jusque-là suggérées par le discours, étaient inscrites sur des plaques de verre et « leur monstration avait force de démonstration » (J. Perriault, *La Logique de l'usage*, 1989). Le physicien Robertson les utilisa à son tour pour créer des spectacles d'illusions, mais ses « Fantasmagories » semblaient si authentiques que le Directoire fit fermer son cabinet. En 1699, Johannes Zahn réalisa les premiers appareils de projection du mouvement* : un bocal rempli de vermisseaux que traversait la lumière d'une lampe à huile… Mais il fallut attendre la fin du XIXe siècle pour que soit possible l'enregistrement* du mouvement. Art de l'illusion*, puisque nous percevons comme un mouvement continu ce qui n'est une rapide succession d'images fixes, le cinéma s'est vite enrichi du son et des couleurs, laissant de côté l'odorat, le goût et le toucher. CE

« Le gros plan étire l'espace, le ralenti étire le mouvement. […] ***la nature qui parle à la caméra est une autre nature que celle qui parle à l'œil. »***

Walter Benjamin, *L'Œuvre d'art à l'époque de sa reproductibilité technique*, 1936.

omnimax
omnimax

Hans Makart (1840-1884), *Les Cinq Sens.* Vienne, Österreichische Galerie.

CLASSIFICATION
Cinq, six, sept, huit...

La tradition nous fait distinguer cinq sens, mais sur quels critères se fonde notre classification ? Plusieurs sont envisageables, qui ne sont d'ailleurs pas forcément incompatibles entre eux. Selon un premier critère, les sens se distinguent entre eux par le type de qualités qu'ils rendent accessibles. On pourrait définir la vision*, par exemple, par la perception de la couleur*, inaccessible aux autres modalités sensorielles. Un autre critère fait appel aux caractéristiques « internes » des expériences ; voir une chose ne procure pas le même effet que la toucher. Même si certaines qualités sont accessibles au travers de plusieurs modalités sensorielles (comme la forme*, qui peut être vue et touchée), elles ne le sont pas de la même façon – à chaque sens correspond un mode d'accès spécifique à la réalité.

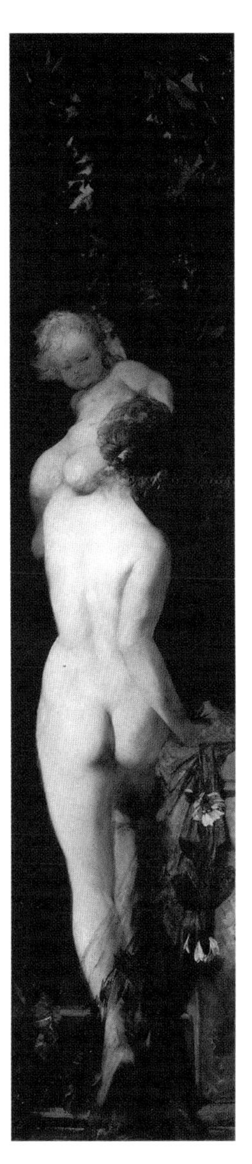

On peut également se fonder sur le type de stimulation physique associé à chaque sens. La vue dépend de la lumière*, le toucher* du contact, et les sons* des ondes sonores. Ce critère fait sans doute apparaître plus de cinq sens – par exemple, ce que l'on entend d'ordinaire par « toucher » se divise en deux modalités, qui correspondent aux sensations de pression et aux sensations thermiques. Il en va de même si l'on identifie un sens au moyen de l'organe physique qui le réalise, puisque de nombreuses parties du corps humain sont pourvues de sensibilité tactile.
Enfin, les sens se distinguent entre eux par la distribution spatiale des données sensibles. Contrairement au toucher, la vision, l'olfaction* et l'audition* sont typiquement liées à la distance. L'ouïe et le toucher nous permettent de percevoir des objets inaccessibles à la vue ; l'odorat, contrairement à l'ouïe, est lié à un effluve, et ainsi de suite. JD

L'Abbé de Condillac. Gravure de Giovanni Volpato d'après Giuseppe Baldrighi. Paris, Bibliothèque nationale de France.

À droite : Georges Seurat, *Le Cirque,* 1890-1891. H/t 185,5 × 152,5. Paris, musée d'Orsay.

Condillac (Étienne Bonnot de)

Étienne Bonnot de Condillac (1715-1780), philosophe des Lumières, est l'auteur de l'*Essai sur l'origine des connaissances humaines* (1749) et du *Traité des sensations* (1755). Comme Locke*, qui l'a influencé, il adopte une méthode d'analyse génétique qui vise à montrer comment les connaissances s'élaborent à partir d'éléments primitifs.
Il s'en démarque toutefois en défendant la doctrine sensualiste qui fait des sensations la source unique de toutes connaissances. Condillac entend prouver que toute la réalité psychique, y compris les idées et les opérations intellectuelles complexes, résulte de la combinaison et de la transformation des impressions sensibles primitives.
Cette démonstration s'appuie sur l'image célèbre de la statue de marbre progressivement dotée d'une vie psychique plus riche au fur et à mesure que chacun des sens vient apporter sa contribution propre. À la question « comment les sensations qui sont des impressions subjectives peuvent-elles nous faire connaître la réalité du monde extérieur ? », Condillac répond par son analyse du toucher. La vue, l'ouïe, l'odorat, le goût ne nous donnent aucune indication ferme d'une cause extérieure de nos impressions sensibles. Mais en se touchant, la statue s'éprouve à la fois comme touchant et touchée, et fait ainsi l'expérience de son propre corps. Les sensations de solidité et de résistance, représentant à la fois deux choses qui s'excluent l'une hors de l'autre, servent alors à construire l'idée d'un espace* extérieur. EP

COULEUR : DE NEWTON À HERING

L'expérience du prisme qui transforme la lumière* incidente « blanche » en un éventail chromatique était connue bien avant Newton ; toutefois, elle était expliquée en termes d'une altération, effectuée par le prisme, d'une lumière homogène. Newton fait en revanche l'hypothèse que la lumière incidente est composée, et que le prisme se limite à trier des rayons colorés. Les couleurs seraient des propriétés intrinsèques des rayons de lumière et ne seraient pas altérées pra le prisme.

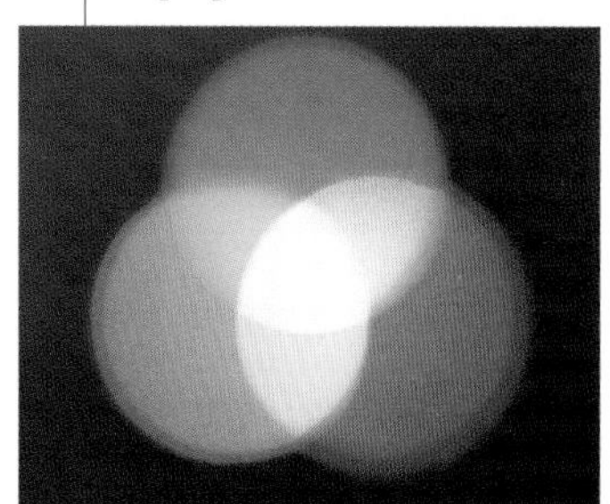

À la différence des couleurs (pigments) des peintres, l'addition de lumières colorées donne du blanc.

Cette idée que la lumière « blanche » est composée par des couleurs diverses, est critiquée par Goethe, qui s'appuie sur l'apparence de la couleur. D'après lui celle-ci naît de l'interaction de la lumière et de l'obscurité. Chaque

couleur est plus ou moins claire, mais aucune ne peut être aussi claire que le blanc, qui ne peut donc pas contenir d'autres couleurs.
Quelle est la valeur de la critique de Goethe ? On s'accorde à lui prêter un intérêt phénoménologique ou conceptuel (Wittgenstein) : il aurait souligné un écart entre les concepts ordinaires des couleurs et les concepts scientifiques. Toutefois, si elles n'ont pas de portée pour l'optique, les affinités et incompatibilités phénoménologiques entre les couleurs formeront la base de la psychologie de la perception. Ainsi, elles permettront d'intégrer la théorie trichromatique de Young-Helmholtz*, qui postule l'existence de trois récepteurs primaires (sensibles principalement au rouge, au vert et au violet) permettant la synthèse de toutes les nuances colorées. Dans la lignée de Goethe, Hewald Hering (1834-1918) proposera des processus antagonistes (pouvant aller dans deux directions opposées) pour expliquer la complexité phénoménologique de la couleur. (Voir aussi Pigments.) RC

Michel Guérard.

Culinaire (Art)

« Le catigot d'anguilles à l'ail, [...] analogue de figure à la bouillabaisse, mais d'une saveur fort différente, faisait le bruit d'un coucher d'oiseau, en été, dans les grands arbres. Gazouillement qui, par les canaux auditifs, allait achever, dans la convoitise gourmande et la concupiscence palatino-linguale, les sapides effets du plaisir oculaire et d'une chaleur équilibrée. » Par cette description hédonico-scientifique d'une simple soupe, Léon Daudet (*À boire et à manger*, 1927) s'est plu à montrer, si besoin en était encore, que l'art culinaire sollicite tous les sens. En la matière, toutes les cultures* ne privilégient pas les mêmes registres sensoriels : le Japon, par exemple, accorde une extrême importance à la vue (esthétique de la présentation, mais aussi harmonie du cadre), à la texture* et à la consistance des aliments. La nouvelle cuisine, née dans les années 70, s'est inspirée en partie de cette conception pour proposer des assiettes composées comme des œuvres d'art moderne, jouant sur les touches de couleurs* apportées par des mousses de légumes légères et pleines d'arômes*, sur le croquant ou le fondant d'ingrédients naturels aux saveurs* authentiques. Tout autant que celle des odeurs*, l'appréciation des saveurs* est affaire de culture. Dans les sociétés humaines, l'absorption de nourriture ne répond pas seulement à un besoin physiologique indispensable, mais se constitue toujours en rituel identitaire participant de la cohérence du groupe. CE

CULTURE
Une anthropologie des sens

La scène se déroule dans une pièce percée d'une fenêtre. Mais cette image, présentée à des Africains de l'Est, a reçu une interprétation différente : le groupe familial est réuni à l'extérieur, et c'est un bidon qui est posé sur la tête de la femme ! L'influence de la culture dans les phénomènes de perception a fait l'objet de nombreuses études depuis la fin du XIXe siècle, parfois plus ou moins biaisées par de solides préjugés. Ainsi, les témoignages des anthropologues sur la prétendue incapacité des « primitifs » à lire une image photographique ou cinématographique sont à nuancer : passé le premier moment de surprise, le Mélanésien qui ne voit dans une photographie* qu'un bout de « tissu » apprend vite à identifier ce qu'elle représente. Les études interculturelles concernent dans leur grande majorité la perception visuelle. Les disparités du vocabulaire* des couleurs, par exemple, dont on a pu croire qu'elles étaient physiologiquement fondées, reflètent les différences environnementales et les besoins qui s'y rattachent. La perception des ressemblances entre individus est également variable : aux îles Trobriand (B. Malinowski, 1927), en Papouasie-Nouvelle-Guinée, l'enfant « ressemble » toujours au père (biologique ou non). Soumis au test de Rorschach, les habitants des îles Samoa, où le blanc possède une forte valeur symbolique, ont tendance à interpréter les espaces entre les taches noires plutôt que les taches elles-mêmes. La culture construit ainsi ce qui est à percevoir ; elle désigne parmi la multitude des stimuli sensoriels ceux qui méritent d'être saisis, leur donne une signification et leur associe des valeurs symboliques. CE

Danse

« L'acrobatie, les exercices d'équilibre, la danse matérialisent dans une large mesure l'effort de soustraction aux chaînes opératoires normales, la recherche d'une création qui brise le cycle quotidien des positions dans l'espace », écrit Leroi-Gourhan dans *Le Geste et la Parole* (1964). Et s'il est une loi à laquelle le corps est soumis, c'est bien la gravité. La *modern dance*, en jouant sur les chutes, les passages au sol, le déséquilibre, le poids du corps lui-même qui résiste ou s'abandonne, a redonné toute sa valeur à la pesanteur dont la danse classique semblait vouloir s'affranchir (sauts amortis, élévations). Au corps symbolique et expressif de Martha Graham, Merce Cunningham a substitué un corps dansant objectif, transparent, débarrassé de tout *pathos*. Pour lui, le mouvement* doit être visible, et non lisible. Musique*, décor, éclairage coexistent avec la danse, sans chercher à l'illustrer. Le courant postmoderne pousse plus loin encore la mise à l'épreuve du corps, mêlant les gestes les plus virtuoses aux plus quotidiens. Cette nouvelle esthétique n'est pas sans poser quelques problèmes aux chorégraphes, quand certains danseurs, formés depuis leur enfance à une seule technique, ont du mal à se plier à d'autres exigences. Le corps possède en effet une mémoire, qui permet d'enregistrer et de restituer le déroulement des mouvements dans l'espace* et dans le temps*, mais qui fait qu'un geste donné peut déclencher automatiquement une séquence familière. CE

Descartes (René)

René Descartes (1596-1650) est le principal promoteur de la philosophie rationaliste selon laquelle la connaissance a sa

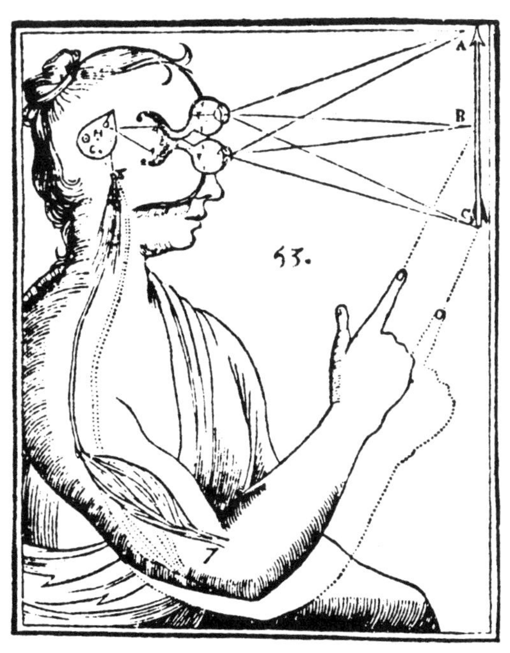

Schéma de la transmission d'un message nerveux à l'esprit, d'après Descartes, 1662.

À gauche : Danseuse de Bali.

source non dans l'expérience sensible mais dans la raison. Les idées innées dont l'évidence se manifeste dans l'intuition intellectuelle sont le fondement de la connaissance qui procède ensuite par déduction.
À la différence des idées innées, les données des sens, fluctuantes et trompeuses, ne sauraient constituer une source fiable pour la connaissance. Dans la seconde *Méditation*, l'analyse du morceau de cire tend à montrer que l'objet visé ne peut se ramener à l'ensemble des sensations* que nous en avons. Seule l'idée claire de l'étendue conçue par l'entendement nous permet d'affirmer que la même cire demeure malgré les changements de couleur, d'odeur, de forme, de saveur, de consistance et autres qualités appréhendées par les sens. Si les perceptions des sens sont trop confuses et obscures pour pouvoir nous informer sur la nature des choses, elles ne sont pas pour autant dépourvues de toute utilité. Ce que nous apercevons par l'entremise des sens se rapporte à l'union de l'âme et du corps. Dans la sensation, l'âme est affectée par certaines modifications cérébrales, elles-mêmes induites par des excitations externes ou internes se transmettant mécaniquement par les nerfs.
Les sensations ont donc une fonction vitale : elles nous informent essentiellement sur l'état de notre corps dans ses relations avec les autres corps, et sur le caractère utile ou nuisible de ces relations. EP

■ Développement

En Occident, l'idée d'Aristote* selon laquelle l'enfant serait une « ardoise vierge », ayant tout à apprendre du monde, a longtemps prévalu. Relayée par la tradition de l'empirisme* anglais, elle n'a été définitivement remise en cause qu'au cours du XXe siècle, quand Piaget et Wallon ont posé, chacun à sa façon, les problèmes essentiels de la psychologie de l'enfant.
Reconnu aujourd'hui comme une « personne », le bébé possède une histoire dont on ne cesse de reculer les origines : depuis une quinzaine d'années, les progrès techniques, notamment en matière d'échographie, ont permis d'explorer le monde sensoriel du fœtus. Comme chez tous les mammifères, le toucher* est le premier sens à se mettre en place, avant l'équilibration*, puis l'olfaction* et la gustation*. Dès la 25e semaine, l'audition* permet une réaction à la voix de la mère, qui émerge nettement du bruit de fond intra-utérin. La réaction aux stimulations lumineuses *in utero*, au cours des amnioscopies, prouve qu'une certaine vision* est en place avant la naissance.
Ainsi, dès le dernier trimestre de la grossesse, le fœtus rode progressivement son système sensoriel ; il ne s'agit pas encore d'un véritable apprentissage, mais d'une maturation qui instaurera une continuité avec les débuts de la vie postnatale.
Apparues dans les années 60, des méthodes simples et ingénieuses s'appuyant sur le réflexe de succion, les mouvements oculaires et la réaction à la nouveauté, ont permis d'établir qu'avant cinq mois le nouveau-né a déjà une perception cohérente du monde. CE et JDB

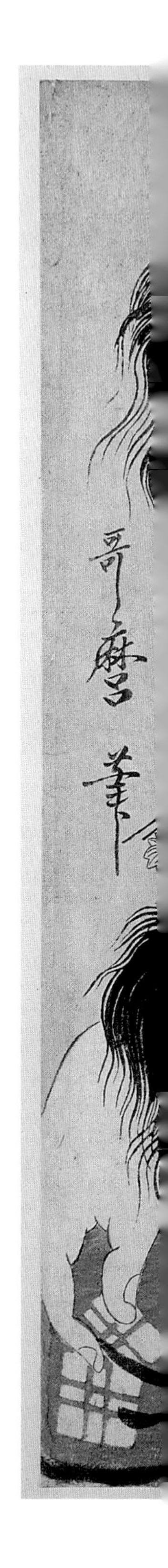

Utamaro Kitagawa (1753-1806), *Kintoki mordant le sein de sa mère.* Estampe. Paris, musée Guimet.

■ DIFFÉRENCES INDIVIDUELLES
Des goûts et des couleurs...

L'adage est attesté au XVIIIe siècle (Dictionnaire de Trévoux) sous la forme plus courte : *Il ne faut pas disputer des goûts*, où « goûts » est à prendre au sens figuré d'« opinions ». Sous son apparente tolérance, la formule s'appuie sur la grande variabilité du goût physiologique pour mieux souligner que le « bon goût », c'est-à-dire le sien propre, ne peut être contesté. Les différences individuelles en matière de perception gustative sont en effet évidentes, car les saveurs* comme les odeurs* possèdent une forte charge affective et leur appréciation dépend largement des normes édictées par la culture*. D'un strict point de vue de l'« équipement » sensoriel, on sait que le nombre des cellules réceptrices (bourgeons du goût) varie d'un individu à l'autre. Certaines personnes présentent une agueusie congénitale à un composé appelé phénylthiocarbamide (PTC), qui donne son goût amer au chou, au chou-fleur et au chou de Bruxelles, car elles sont dépourvues des récepteurs correspondants. L'étude des seuils a révélé de grandes disparités, liées le plus souvent à une multitude de facteurs (niveau de faim et de soif, état hormonal...) qui modifient la composition de la salive. Il semble toutefois que les sensibilités absolues pour une même molécule puissent varier jusqu'à un facteur 10 selon les sujets : la sensibilité au sucre, en particulier, est très variable. Sur le plan qualitatif, il existe une molécule analogue au turquoise (bleu ou vert ?) dans le domaine des couleurs : certains la trouvent amère, d'autres sucrée. Nul doute que ces désaccords expliquent en partie l'absence d'un vocabulaire* consensuel permettant de décrire les sensations olfactives et gustatives. CE

Jean-Baptiste Greuze (1725-1805), *La Douleur.* Paris, musée du Louvre.

Douleur

La tradition considère la douleur comme une sensation* corporelle, et non comme une sensation perceptive qui nous informe sur la réalité empirique. Mon expérience de couleur semble bien dirigée vers quelque chose, la couleur*, qui en est distincte ; par contre, mon expérience de douleur est la douleur, et n'est pas dirigée vers celle-ci. Pourtant, la douleur est souvent ressentie à un endroit plus ou moins précis du corps – contrairement aux émotions, par exemple, elle a un contenu spatial, même si elle est normalement localisée à la surface ou à l'intérieur du corps. Il semble que l'expérience de la douleur puisse être au moins en partie illusoire : un patient apeuré confond un picotement et une douleur, et certains amputés ressentent la douleur dans un membre « fantôme ».
Selon le philosophe écossais Thomas Reid, la douleur est bien une forme de perception d'un état corporel. Lorsque nous avons mal, nous percevons souvent au travers de notre douleur un certain désordre, voire une agression corporelle. La douleur est bien une sensation perceptive, qui nous informe sur la condition réelle de notre propre corps. Il reste à expliquer, alors, pourquoi nous ne ressentons jamais la douleur en dehors de notre corps apparent.
La douleur a également été considérée comme une exacerbation du toucher*, mais nous savons aujourd'hui qu'il existe des structures nerveuses qui lui sont réservées. Des terminaisons appelées « nocicepteurs », qui se trouvent dans la plupart des tissus nerveux, réagissent à un ensemble de perturbations nocives. Même si certaines stimulations intenses mobilisent à la fois les nocicepteurs et les récepteurs du toucher, l'expérience de la douleur n'est pas une simple modification de l'expérience tactile. JD

EMPIRISME
Toutes nos connaissances proviennent des sens

L'empirisme est la position philosophique, défendue par Locke*, Berkeley* et Hume, selon laquelle toutes nos connaissances sont acquises, directement ou indirectement, par la perception. Chez Locke, par exemple, l'esprit humain à sa naissance est une *tabula rasa*, où les idées viennent s'inscrire par la médiation des sens. Toutes nos idées dépendent, directement ou indirectement, de notre expérience. On oppose traditionnellement l'empirisme au rationalisme, attribué à Descartes* et à Leibniz, selon lequel nous ne pourrions acquérir aucune connaissance perceptive si nous n'avions pas au préalable un ensemble d'idées ou de concepts innés. L'empirisme est typiquement lié à un certain scepticisme à l'égard des vérités nécessaires indépendantes du langage et de l'esprit. Ces vérités ne peuvent pas être connues sur la base de la perception, et les empiristes rejettent toute forme d'intuition non-sensible, d'ordre intellectuel.
La science cognitive contemporaine a renouvelé le débat opposant empirisme et innéisme. En linguistique, des innéistes (tel Chomsky) prétendent que l'apprentissage d'une première langue par l'enfant consiste en réalité à fixer un ensemble de paramètres spécifiques relevant d'une grammaire universelle et innée. Les empiristes (tels Putnam et, dans une certaine mesure, Piaget) affirment au contraire que cet apprentissage ne requiert aucun module inné.
La psychologie du développement* s'est également interrogée sur l'origine du savoir général que l'enfant possède, très tôt, sur la structure de son environnement, et sur les principes dynamiques qui régissent l'interaction des objets entre eux et avec le sujet. Pour les psychologues empiristes, ce savoir est construit sur la base d'un petit nombre de prédispositions ; pour les autres, la rapidité et la facilité avec laquelle l'enfant développe un tel savoir suggère l'existence d'un noyau substantiel de connaissances innées. JD

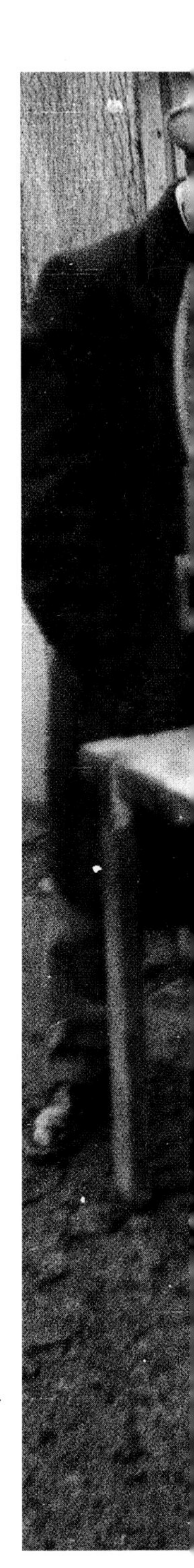

Enfant. Voir Développement

Enregistrement
L'enregistrement, le stockage et la reproduction des stimuli sensoriels sont pour l'instant limités aux sons* et aux images* ; en attendant les dispositifs virtuels* capables de les coder électroniquement, les saveurs* et les odeurs* restent ancrées à leur source. Dans cette recherche de simulacres, c'est d'abord la lumière que l'on a cherché à maîtriser : avec la chambre noire, connue depuis l'Antiquité, puis la photographie* et le cinéma*. Comment ne pas imaginer que les sons puissent être traités de la même manière, par « une boîte dans laquelle se fixeraient et se retiendraient les mélodies, ainsi que la chambre noire surprend et fixe les images » (Nadar, *Les Mémoires du Géant*, 1864) ? Mais l'enregistrement sonore ne deviendra réalité qu'au milieu du XIXe siècle, avec le phonautographe de Léon Scott qui permet de

« voir » le son sous forme de courbes tracées sur un cylindre enduit de noir de fumée. Charles Cros, répétiteur à l'Institut des sourds-muets, à Paris, a l'idée de graver ces traces à l'aide d'une aiguille, ce qui autorise cette fois la restitution des sons. Il sera toutefois devancé par Edison, sensible lui aussi au problème de la surdité* : la première démonstration du phonographe a lieu en 1877. Quelques sceptiques suspectent un tour de ventriloquie... Le fait que la voix humaine puisse être ainsi détachée de son support corporel, emmagasinée pendant des semaines et restituée à l'identique semblait ressortir du prodige. De nos jours, la qualité des enregistrements numériques du son et de l'image rejoint les capacités discriminatives des systèmes sensoriels. CE

■ Équilibre

La stabilité d'un corps nécessite que la verticale passant par son centre de gravité ne sorte pas de la surface du sol englobant les points d'appui (polygone de sustentation). La bipédie, si elle a certes libéré la main, a réduit considérablement ce polygone et a élevé notre centre de gravité, ce qui nous rend bien moins stables que nos cousins quadrupèdes. Pendant la marche, le centre de gravité est déplacé à l'avant des pieds, et nous devons sans cesse rattraper l'équilibre en lançant une jambe vers l'avant. Pour réaliser ces ajustements de posture, le cerveau doit être informé de la position du corps dans l'espace*. Là où les invertébrés ne sont dotés que d'un système rudimentaire, une sorte de fil à plomb marquant la verticale, les animaux supérieurs disposent d'un ensemble de repères sensoriels très sophistiqués. L'organe spécifique de l'équilibration est l'appareil vestibulaire. Situé dans l'oreille* interne, près de la cochlée, il comprend les canaux semi-circulaires, mesurant les accélérations angulaires de la tête, et deux cavités (saccule et utricule) renfermant des capteurs sensibles aux accélérations linéaires et aux inclinaisons de la tête par rapport à la gravité. Interviennent aussi les informations visuelles et proprioceptives*, ce qui permet une programmation harmonieuse et anticipée des ajustements pos-

Page précédente : Phonographe, v. 1930.

Photographie d'Henri Cartier-Bresson.

turaux nécessaires. Parfois, ces informations sont contradictoires : le vertige des hauteurs résulterait ainsi d'un conflit entre les informations visuelles détectant le danger du vide, et les informations vestibulaires et proprioceptives assurant une bonne stabilité. CE et JDB

■ Espace

Notre espace familier est celui de la géométrie classique, c'est-à-dire l'espace euclidien à trois dimensions. Jusqu'au début du XXe siècle, la conception de Newton s'est imposée d'un cadre rigide, absolu, dans lequel seraient plongés les corps ; tout mouvement s'effectuerait *dans* cet espace au cours d'un temps pensé lui aussi comme absolu. En 1898, dans *La Science et l'Hypothèse*, H. Poincaré s'interroge sur les fondements naturels de la géométrie. L'espace représentatif, « cadre de nos représentations et de nos sensations », diffère de l'espace géométrique, et pourtant « nous *raisonnons* sur [les corps extérieurs] comme s'ils étaient situés dans l'espace géométrique ». Cette coïncidence entre les deux espaces pourrait bien avoir une origine physiologique, puisque notre corps est

Créteil, 1974. Photographie de Martine Franck.

« Aucune de nos sensations, isolée, n'aurait pu nous conduire à l'idée de l'espace, nous y sommes amenés seulement en étudiant les lois suivant lesquelles ces sensations se succèdent. »

Henri Poincaré, *La Science et l'Hypothèse*, 1898.

doté naturellement d'un repère euclidien : les canaux semi-circulaires, situés dans l'oreille* interne, sont disposés dans trois plans perpendiculaires et détectent les mouvements dans les trois directions. Notre construction de l'espace utilise non seulement la vision*, l'audition* et le toucher*, mais aussi les informations vestibulaires (position de notre tête) et proprioceptives (positions relatives du tronc et des membres). Cette construction s'organise simultanément dans deux référentiels : l'un, personnel, est centré sur l'observateur ; l'autre, extracorporel, permet d'établir les relations spatiales entre les objets indépendamment du point de vue de l'observateur. CE et JDB

Forme

La plupart des conventions sur lesquelles repose l'art du dessin au trait sont communes à toutes les cultures*, car si l'identification* d'un objet ou d'un visage ne se limite pas à la seule reconnaissance de sa forme, celle-ci en constitue une étape essentielle. Même privé de couleur* et de texture*, un objet peut être identifié à partir de ses contours, c'est-à-dire des changements dans l'intensité lumineuse reflétée par ses surfaces. Cette tâche, qui semble si facile et si immédiate, est apparue dans toute sa complexité lorsqu'il s'est agi de mettre au point des systèmes artificiels de reconnaissance des formes.

Dans l'analyse d'une image, différents critères favorisent la ségrégation entre les éléments constituant les figures et ceux qui forment le fond. La simplicité, la symétrie, l'orientation verticale ou horizontale, la petitesse de la taille apparente, la convexité sont généralement des propriétés des figures. L'école gestaltiste s'est efforcée d'établir les principes permettant d'organiser plusieurs éléments en une même figure : la proximité (l'aspect compact), la similitude (de couleur, d'orientation...), la continuité (une croix est vue comme deux lignes qui se croisent plutôt que comme deux V accolés par le sommet), le destin commun (déplacement dans une même direction), la familiarité. Certains de ces principes de groupement sont bien corrélés à notre connaissance actuelle des traitements neurosensoriels, mais d'autres sont encore l'objet de nombreuses interrogations. Ainsi en est-il du triangle dit « de Kanizsa » (ci-dessus), dont les « contours virtuels » ou « illusoires » sont ajoutés spontanément à une étape sans doute précoce du traitement visuel. CE et JDB

Triangle de Kanizsa.

Gestaltisme.

Voir Forme

Dessin de Ron James.

GUSTATION

La gustation, second sens chimique avec l'olfaction*, permet d'apprécier les saveurs* grâce aux récepteurs gustatifs localisés dans la cavité buccale, principalement sur la muqueuse de la langue*. Mais goûter un aliment, le savourer, fait aussi intervenir d'autres sens, à commencer par l'odorat puisque les arômes* libérés par les aliments stimulent la muqueuse olfactive par la voie rétronasale. Les sensations tactiles (forme, texture, consistance), thermiques et algiques (douleur) interfèrent également, mais elles sont véhiculées par le nerf trijumeau. Toutes ces informations convergent simultanément vers les centres supérieurs du cerveau*, formant une image multisensorielle globale. Le vocabulaire*, qui confond souvent les diverses modalités (*sweet*, en anglais, signifie à la fois doux et sucré), rejoint ainsi la physiologie.

Cette faculté de percevoir et de discriminer les saveurs, qui guide les omnivores que nous sommes dans leur quête de nourriture, peut être enrichie par l'apprentissage. Nos préférences d'adultes sont largement conditionnées par les habitudes alimentaires de notre milieu familial et socioculturel, mais le plaisir du sucré

Jan Brueghel de Velours et Pierre Paul Rubens, *Allégorie des sens : Le Goût*, 1617-1618. H/t 64 × 108. Madrid, Museo del Prado.

et l'aversion pour l'amer se manifestent déjà chez le nouveau-né de quelques heures. Très tôt dans son développement*, celui-ci réagit à chaque stimulus gustatif par une mimique particulière (réflexe gusto-facial). Ces grimaces et ces sourires, d'abord dépourvus d'intentionnalité, sont rapidement intégrés dans un processus de communication. Le fait que l'identification d'une saveur déclenche une réaction émotionnelle influence sans doute nos préférences en matière de goût. Bien que nos sensations gustatives soient très différentes* d'un individu à l'autre, et incommunicables, le goût est un sens convivial qui prend toute sa dimension dans l'art culinaire*.

Dans de nombreuses langues, dont le français, l'aptitude à discerner les beautés et les défauts d'une œuvre d'art est métaphoriquement désignée par le même terme que celui désignant le goût physiologique : « Il est souvent comme lui incertain et égaré, ignorant même si ce qu'on lui présente doit lui plaire, et ayant quelquefois besoin, comme lui, d'habitude pour se former » (Voltaire, *Dictionnaire philosophique*, article « Goût », 1764). CE et JDB

L. M. Mélendier et son frère, *Le Chemin retrouvé*, v. 1880. Stéréogramme à l'albumine. Washington, Library of Congress.

Hallucination

Est en état d'hallucination, selon la définition donnée par Esquirol en 1817, « un homme qui a la conviction intime d'une sensation actuelle perçue, alors que nul objet extérieur propre à exciter cette sensation n'est à portée de ses sens ». Ces troubles psychosensoriels, aigus ou chroniques (psychoses schizophréniques), sont relativement stéréotypés. Tout comme les illusions*, ils peuvent concerner la vision : le sujet perçoit des taches colorées, des silhouettes, des mots écrits, des scènes complexes, parfois un « double » de lui-même (héautoscopie) ; l'audition : bourdonnements, murmures, tintements, airs de musique, voix ; mais aussi l'olfaction, la gustation et le toucher. Leur caractère est rarement neutre, puisqu'il semble osciller entre plaisir et terreur – entre Dieu et diable. Ainsi, les voix peuvent se faire douces et consolatrices, les visions lascives ou mystiques, les odeurs suaves, les frôlements caressants ; ou bien il s'agit d'injures, de menaces, d'images cauchemardesques, d'odeurs et de saveurs infectes, de piqûres, de brûlures.

Après Huysmans et Baudelaire, que le haschisch et l'opium plongent dans des « paradis artificiels », Maupassant explorera comme nul autre cet univers d'« inquiétante étrangeté ». Souffrant lui-même d'hallucinations (en particulier héautoscopiques), passionné par la théorie du magnétisme animal de Mesmer et par les travaux de Charcot, il donnera dans ses contes fantastiques une description quasi clinique des délires hallucinatoires. CE

« Je suis certain, maintenant, [...] qu'il existe près de moi un être invisible, qui se nourrit de lait et d'eau, qui peut toucher aux choses, les prendre et les changer de place, doué par conséquent d'une nature matérielle, bien qu'imperceptible pour nos sens, et qui habite, comme moi, sous mon toit... »

Guy de Maupassant, *Le Horla*, 1887.

Helmholtz (Hermann von)

Les toutes premières études de Hermann von Helmholtz (1821-1894) montrent que l'introduction d'un élément vitaliste dans l'explication biologique constituerait une violation du principe de la conservation de la force. La recherche d'une réduction de tous les phénomènes psychologiques et vitaux à des phénomènes physiques orientera par la suite la démarche du scientifique allemand, s'étendant à la psychologie expérimentale de la perception, dont il est considéré comme l'un des pionniers. Ainsi, le principe ultime pour classer les sensations n'est pas l'objet perçu, mais une propriété du système perceptif. Helmholtz s'appuie sur le principe, établi par Johannes Müller, des énergies nerveuses spécifiques. Le nerf optique, quelle que soit la façon dont il est stimulé, produit toujours le même type de sensation. D'après Helmholtz, les sensations ne reproduisent pas de façon ponctuelle les propriétés des objets, mais témoignent de la structure de l'appareil sensoriel. Elles sont comme des mots dans un langage des sens : tout comme la différence entre deux noms de ville peut représenter la différence entre deux villes sans que les noms aient à ressembler aux villes, la différence entre la sensation du rouge et celle du vert peut correspondre à une différence entre couleurs* sans que les sensations aient à ressembler aux couleurs. Pour Helmholtz, la perception est le résultat d'un processus inconscient proche de l'inférence inductive : à partir des sensations, le cerveau* infère la présence d'objets dans l'espace et crée ainsi des attentes qui, lorsqu'elles sont désavouées, peuvent engendrer des illusions*. RC

Hermann von Helmholtz.

Identification

Nous sommes capables, au premier coup d'œil, d'identifier un livre, qu'il soit ouvert ou fermé, posé sur une table ou rangé dans une bibliothèque, sous notre nez, dans la pièce voisine, quel que soit l'angle d'observation, que nous soyons immobiles ou en déplacement par rapport à lui. Cette performance est rendue possible grâce

William Michael Harnett, *Le Colt fidèle*, 1890. H/t 57 × 48. Hartford, Wadsworth Atheneum.

à une représentation globale de l'objet « livre » élaborée par le cerveau. Déduite notamment des indications de forme* et de profondeur*, cette représentation est tridimensionnelle et indépendante de l'angle de vue. À ce niveau de traitement, la comparaison avec des informations en mémoire* permet d'identifier véritablement l'objet, c'est-à-dire de le rattacher à une catégorie fonctionnelle et sémantique. Cette activation peut, si nécessaire, donner accès au nom de l'objet et à sa prononciation. Certains malades, souffrant d'agnosie visuelle (voir Troubles), ne disposent pas de ce niveau de représentation : ils peuvent voir un tire-bouchon, le décrire, mais sont incapables de donner son nom ou son usage (sauf s'ils prennent l'objet dans leur main).

Outre que le recours à la mémoire implique une certaine subjectivité (individuelle et culturelle*), le contexte dans lequel un objet ou un visage est perçu exerce une forte influence dans le processus d'identification. Ainsi, la lettre T est plus rapidement repérée dans BATEAU que dans SRTPGR.

Nos propres attentes peuvent également accélérer, ralentir, voire fausser la reconnaissance : il arrive souvent que nous marquions un temps avant de reconnaître une personne que nous ne nous attendions pas à rencontrer. CE et JDB

Chambre d'Ames.

■ Illusion

Dans le dispositif expérimental appelé « chambre d'Ames », l'observateur perçoit de façon exagérée la différence de taille entre les deux personnages : les faux indices de profondeur* fournis par la pièce déformée imposent irrésistiblement cette interprétation, malgré son incongruité flagrante. « Nos sens nous trompent quelquefois », affirme Descartes* qui, comme bien d'autres philosophes depuis l'Antiquité*, s'est interrogé sur les rapports entre sensations* et connaissance. Bien que toutes les modalités sensorielles puissent donner lieu à des illusions, les plus connues sont les illusions optico-géométriques : segments égaux qui semblent inégaux, droites parallèles qui semblent se tordre, cube de Necker, fourchette de Penrose... Nous avons tendance à considérer ces phénomènes amusants comme

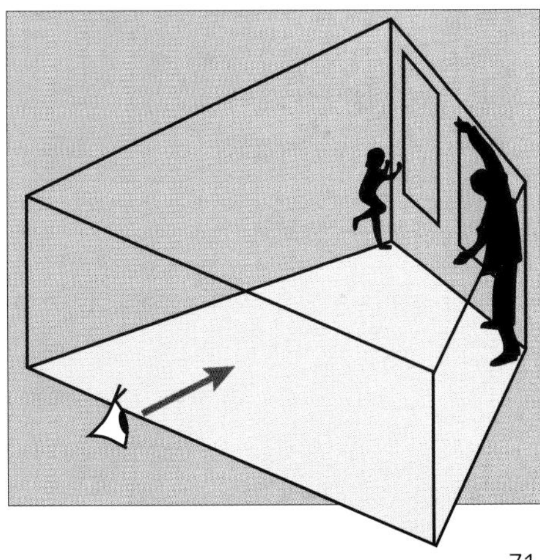

de simples ratés au sein d'un système ordinairement fiable : sauf exception, nos sens nous donneraient directement accès au monde.

En réalité, c'est cette croyance qui est illusoire. Notre cerveau fait des hypothèses sur le monde, hypothèses qui se vérifient le plus souvent puisqu'elles ont permis la survie de notre espèce, mais hypothèses fondées sur les régularités d'un environnement naturel et non sur les bizarreries d'une chambre trapézoïdale. Si les informations données par les sens sont ambiguës ou contradictoires, la solution trouvée par le cerveau peut ne pas être en adéquation avec la réalité. Les illusions ne révèlent donc pas les failles du système sensoriel, elles éclairent les contraintes auxquelles sont soumises les lois de la perception, « elles nous font soupçonner qu'en vérité, les expériences quotidiennes [...] où la correspondance entre les réalités physique et perceptive semble totale, cachent toutes également un problème » (G. Kanizsa, 1980).
CE et JDB

IMAGE
Fantômes et simulacres

Si l'on en croit les étymologistes, le radical *im-* du latin *imago* serait à l'origine du verbe *imitari* « reproduire par imitation », « être semblable à ». L'image est un double de la chose, et chez les Grecs de l'Antiquité* « elle voisine avec toutes les formes d'apparaître qui ne sont pas la chose proprement dite : fantôme, fantasme, apparence, manifestation » (G. Simon, 1988). Les deux grands axes qui organisent sa signification, le leurre (*eidôlon*, que le latin traduira par « simulacre » et dont dérive notre « idole ») et l'effigie (*eikôn*, auquel se rattache notre « icône »), s'entrecroisent et se confondent souvent. Un troisième terme, *emphasis*, désigne l'image qui apparaît dans l'eau ou dans un miroir ; cette image spéculaire, assombrie, diffuse, souvent déformée, n'a que peu de rapport avec celle que nous fournit le tain de nos glaces modernes. Ces trois modes d'apparence ne sont pas distingués selon leur degré de vérité, pas plus qu'ils ne reflètent l'opposition de l'optique moderne entre réel et virtuel ; les images qui se voient dans un miroir ne sont pas radicalement différentes des images du rêve ou des spectres de l'Hadès. Cette conception de l'image influencera longtemps l'Occident, comme en témoigne l'accueil réservé que rencontra l'astronomie optique à ses débuts, en 1610 : ces planètes de Jupiter, que Galilée prétendait « voir » à travers sa lunette mais qu'aucun œil humain n'avait jamais vues, existaient-elles vraiment ? Le fait que l'image puisse représenter ce qui est invisible à l'œil deviendra plus troublant encore en 1895, avec la découverte par Röntgen de ces rayons X qui révèlent l'intérieur des corps. Avec le numérique, au XXe siècle, une autre étape est franchie : les « nouvelles images » ne (re)présentent plus le réel, mais simulent une réalité qui ne leur préexiste pas. CE

Inodore

La culture occidentale est traditionnellement considérée comme « odorophobe », à la différence des sociétés « odorophiles » où l'on se renifle réciproquement le visage pour se saluer. Amorcée au XVIe siècle, la lutte contre les mauvaises odeurs* accusées de propager les maladies amène les autorités à purger les villes de leurs sources nauséabondes (tanneurs, équarrisseurs...) ; le mouvement hygiéniste du XIXe siècle procède à un grand nettoyage des rues et des corps. Les trop forts effluves corporels,

Anamorphose cylindrique, *Personnage barbu*, 1630. Peinture sur cuivre. Uppsala Universitets Myntkabinett.

longtemps signe de richesse et de santé, sont difficilement tolérés. L'odeur de l'autre, qui s'exprime dans son haleine, sa sueur, sa cuisine, est supposée marquer l'appartenance sociale et raciale ; démocratisation et intégration passent par une désodorisation générale. Tel le héros du *Parfum* de Süskind, qui doit se doter d'une odeur « humaine » artificielle* pour être accepté de ses semblables, nous recréons de toutes pièces notre univers olfactif. Savons, bains moussants, gels pour la douche se veulent toniques ou relaxants ; poudres détergentes, adoucissants sentent le frais et le propre. Des techniques de masquage donnent aux chaussures en plastique des odeurs de cuir, aux meubles neufs des odeurs de vieux bois. Dans les lieux publics (métro, parkings, piscines...), on s'efforce de masquer les émanations désagréables par la diffusion d'ambiances olfactives. Au Japon, certaines entreprises prétendent améliorer la productivité et la qualité de leurs produits en faisant diffuser dans leurs locaux des parfums* aux vertus stimulantes ou décontractantes. CE

Langue

À la différence de l'œil, du nez, de l'oreille, de la peau, très présents dans la phraséologie française, la langue en tant qu'organe de la gustation* n'a donné lieu à aucune expression. Dans presque toutes les cultures, la symbolique qui lui est attachée la définit comme l'organe de la parole, et cette qualité spécifiquement humaine semble avoir éclipsé le fait que ce muscle charnu sert aussi à percevoir les saveurs*. Désignant d'abord le bout du sein, le terme « papille » n'a pris son

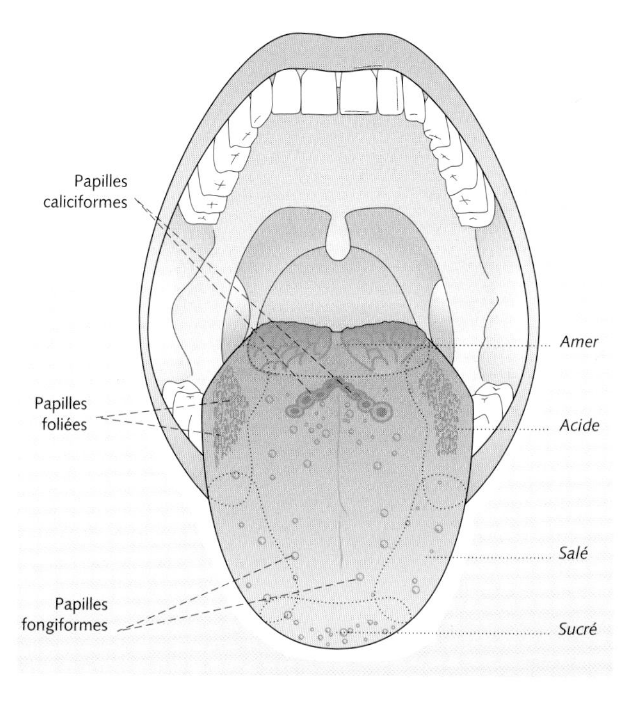

sens actuel de « petite protubérance à la surface de la peau ou d'une muqueuse » que vers 1690. Sur la muqueuse linguale, on distingue les papilles filiformes, récepteurs tactiles sensibles à la texture*, à la forme, à la consistance et à la température des aliments, et les papilles gustatives proprement dites (fongiformes, foliées et caliciformes), renfermant chacune une centaine de « bourgeons du goût ». Chaque bourgeon contient des dizaines de cellules réceptrices et s'ouvre par un pore où les substances sapides, solubilisées dans la salive, sont détectées par des cils sensoriels ; comme pour l'olfaction*, les molécules se lient chimiquement aux protéines des récepteurs, ce qui déclenche une chaîne de réactions à l'origine de signaux électriques transmis au cerveau*. Il n'existe pas de récepteurs spécifiques des quatre saveurs de base, mais il est possible de distinguer des zones de la langue sensibles préférentiellement aux substances sucrées, salées, acides et amères ; ces zones se chevauchent largement par endroits. CE et JDB

Locke (John)

La question de Molyneux fut divulguée par John Locke (1632-1704) dans son *Essai sur l'entendement humain* (1689), qui représente un texte de référence pour l'empirisme*. Locke critique l'existence d'idées innées. Toute idée est produite soit par la sensation* (l'idée du rouge ou celle du carré), soit par la réflexion (l'idée de la volonté). L'esprit accueille les idées simples (qui ne sont pas composées d'autres idées) et construit des idées complexes à partir de celles-ci (par combinaison, discrimination, comparaison, abstraction). Les idées des couleurs* sont considérées comme un paradigme d'idées simples, mais Locke lui-même précisa cette vue en discutant le cas d'un aveugle* qui peut concevoir (en partie) une couleur à partir d'une description structurale (le violet est appréhendé comme analogue à un son de trompette).

John Locke.

Locke reprend aussi la distinction entre qualités premières (forme, taille) et qualités secondes (couleur) ; il se distingue pourtant de Démocrite, pour qui les couleurs sont illusoires, et de Galilée, pour qui elles sont des propriétés de la sensation elle-même. D'après Locke, les couleurs sont des propriétés objectives des objets macroscopiques, et elles sont secondaires seulement car les constituants de la matière, les « corpuscules », ne les possèdent pas. On devrait cependant pouvoir réduire les couleurs à des façons différentes de disposer les corpuscules. RC

Lumière

La lumière, constituée de grains d'énergie appelés « photons », peut aussi être décrite comme une radiation électromagnétique caractérisée notamment par sa longueur d'onde. La

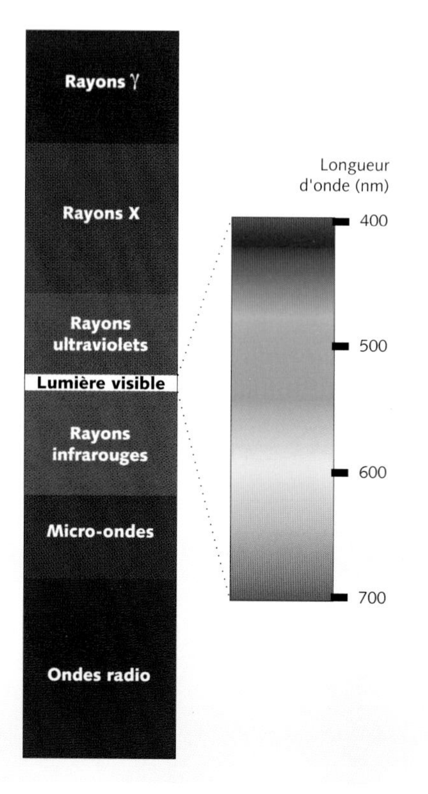

lumière dite « visible » (par l'œil humain) ne représente qu'une faible portion du spectre allant des rayons gamma aux ondes radio : nous ne sommes sensibles qu'à une gamme comprise entre 400 et 700 nanomètres, susceptible de provoquer des sensations colorées* allant du bleu-violet au rouge. Qu'elle provienne du soleil ou d'une source artificielle, la lumière est généralement un mélange de radiations de longueurs d'onde différentes que l'œil* est incapable de discriminer ; si ce mélange est équilibré, la sensation qui en résulte est le blanc. Un objet éclairé absorbe une partie des rayons incidents et réfléchit le reste : dans une même direction si sa surface est parfaitement lisse (cas du miroir ou des objets brillants), dans toutes les directions si sa surface est irrégulière. La proportion des rayons réfléchis et leur composition spectrale conditionnent en grande partie nos sensations colorées ; ainsi, une feuille d'arbre réfléchit majoritairement les radiations situées dans la région centrale (« verte ») du spectre, tandis qu'un matériau fortement absorbant paraît noir. Un rayonnement lumineux est également défini par son intensité, ou luminance (quantité d'énergie par unité de surface). Là encore, l'œil humain ne travaille que dans une gamme réduite, mais l'adaptation à l'obscurité et la sensibilité aux contrastes modulent fortement l'impression subjective de la brillance d'un objet. CE et JDB

MAIN : TÂTER, PALPER, AGRIPPER...

Dans sa définition du verbe « toucher » : « entrer en contact avec (qqn, qqch.) », le *Grand Robert* précise que « la partie du corps en contact n'est pas toujours désignée, surtout s'il s'agit de la main ». À vrai dire, nous pouvons toucher un objet avec le bras, le pied, l'épaule, mais seuls les doigts sont capables de l'explorer activement (toucher haptique) et de nous fournir des informations détaillées sur sa forme*, son orientation, sa texture*, sa consistance. La main ne se contente pas de toucher, elle palpe, manipule, saisit. L'ancienne expression « faire toucher au doigt et à l'œil » en rend bien compte, qui place le toucher* sur le même plan que la vision*. Si l'organe tactile est l'enveloppe tout entière que constitue la peau*, la proportion occupée par la main dans la représentation corticale sensorielle (voir p. 90), et plus encore dans la représentation corticale motrice, reflète son

Nicolas de Largillière (1656-1746), *Étude de mains.* H/t 65 × 32. Alger, musée des Beaux-Arts.

rôle prédominant dans notre appréhension du monde. La pulpe des doigts, munie de stries antidérapantes – les empreintes digitales –, est la partie du corps la plus sensible (après les lèvres), car très riche en terminaisons nerveuses. La grande rapidité de lecture qu'il est possible d'atteindre avec le braille en témoigne. L'homme a toujours cherché à prolonger sa main par des outils ou des instruments plus ou moins élaborés. Depuis les premiers percuteurs de silex, ces « périphériques » se sont sophistiqués. Le « gant de données », doté de capteurs fournissant des informations sur les postures de la main, est apparu vers 1985, bientôt suivi de dispositifs restituant la résistance au mouvement (retour d'effort). Le système GROPE, par exemple, est un bras articulé à 6 degrés de liberté (la main en possède 23) permettant de manipuler des molécules chimiques virtuelles*, visibles dans le même temps sur un écran. CE

Mémoire

La mémoire est bien autre chose qu'un gigantesque magasin où seraient stockés, plus ou moins dans l'ordre, tous nos souvenirs attendant d'être rappelés par le goût d'une madeleine trempée dans le thé... Si elle autorise la nostalgie et nous aide à retrouver nos clés, la mémoire est avant tout un outil de prédiction, et les traces mémorielles enregistrées par tous nos sens sont utilisées en permanence par le cerveau pour anticiper* l'action.

Parmi les diverses formes de mémoires reconnues par la neuropsychologie moderne, il existe une mémoire immédiate, fugace, très sensible aux effets distracteurs, qui nous permet de fixer pendant quelques secondes les informations sensorielles. Celles-ci, trop nombreuses pour être traitées simultanément, seraient gardées brièvement sous leur forme physique initiale avant que leur signification soit (éventuellement) extraite. L'exemple le plus typique est celui où nous croyons ne pas avoir entendu ce qu'une personne vient de nous dire : au moment même où nous lui demandons de répéter, nous réalisons que c'est inutile. Plus généralement, la mémoire sensorielle crée une continuité dans des événements successifs, par exemple les séquences musicales ou les sons* du langage : pour comprendre le sens d'une phrase, il est nécessaire de se souvenir des premiers mots lorsque les derniers sont présentés. De même, l'analyse visuelle d'une scène nécessite de conserver la trace spatiale des éléments traités successivement. CE et JDB

Merleau-Ponty (Maurice)

Merleau-Ponty (1908-1961) revendique pour la philosophie le « primat de la perception ». La perception n'est pas une simple modalité de la

Gravure de Matthias Corenter (1564-1638).

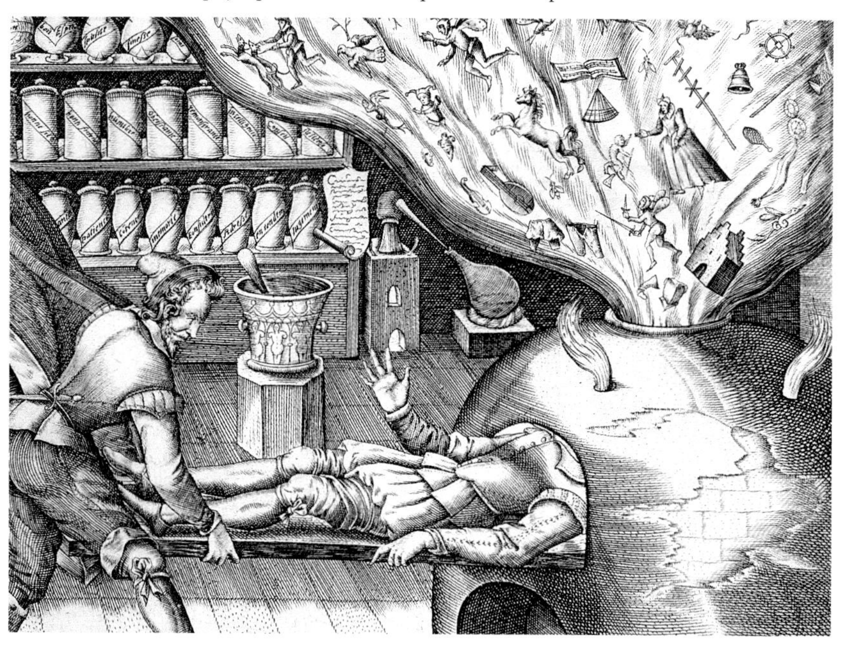

Maurice Merleau-Ponty, 1939.

« La prétendue évidence du sentir n'est pas fondée sur un témoignage de la conscience, mais sur le préjugé du monde. Nous croyons très bien savoir ce que c'est que "voir", "entendre", "sentir", parce que depuis longtemps la perception nous a donné des objets colorés ou sonores. »

Merleau-Ponty, *Phénoménologie de la perception*, 1945.

conscience ; toute conscience, même la plus abstraite, est tributaire de son origine dans l'expérience vécue des choses sensibles. Merleau-Ponty rejette l'alternative traditionnelle des conceptions « empiriste » et « intellectualiste » de la perception. Contre l'empirisme*, le champ perceptif n'est pas une construction de l'esprit à partir d'une mosaïque de sensations* pures, dépourvues d'extension et indépendantes entre elles. Contre l'intellectualisme (en particulier cartésien), la perception ne peut pas être considérée comme une forme de pensée, même naissante ou confuse. La perception constitue un mode d'accès original à la réalité : on ne peut la réduire ni à une pure sensation ni à un simple jugement.

La perception est étroitement liée à l'expérience du corps propre. La vue, par exemple, se fait toujours « de quelque part », même si elle n'est pas enfermée dans sa perspective. Selon Merleau-Ponty, le milieu perceptif n'est pas l'espace objectif de la science, qui est une idée de la réflexion ; il est ambigu précisément parce qu'il n'est ni tout à fait objectif, ni tout à fait subjectif.

Merleau-Ponty insiste sur l'existence d'un niveau fondamental du sentir antérieur à la distinction des sens. Dans la perception, chaque qualité sensible est étroitement liée aux autres. Non seulement tous les sens sont spatiaux, et donc communiquent entre eux parce qu'ils se détachent d'un fond commun, mais la donnée qualitative isolée est une abstraction. La fragilité du verre, par exemple, est une qualité aussi visible que sa couleur ou sa forme. JD

■ Mouvement

Pouvoir détecter le mouvement d'une proie ou d'un prédateur est d'une utilité certaine pour la survie. Il semble d'ailleurs que certaines espèces animales*, parmi les insectes, les reptiles, les batraciens, ne puissent voir les objets immobiles qu'en se déplaçant par rapport à eux (tout mouvement est relatif). Chez l'homme, les stimulations mobiles sont également privilé-

Page suivante : Leçon de danse à l'école du Bolchoï, 1958.

giées, comme en témoigne la proportion impressionnante des cellules du cortex visuel sensibles au mouvement ; ces cellules sont capables de coder la vitesse, la direction et le sens du mouvement. Tout déplacement, de l'observateur ou de l'objet observé, se traduit par une déformation de l'image sur la rétine (« flux optique ») ; ce sont les informations vestibulaires (voir Équilibre) et proprioceptives* qui permettent d'attribuer le flux optique au déplacement de l'observateur et non à celui de la scène visuelle. En l'absence de ces informations, nous serions en permanence dans la situation que procurent les films tressautants du cinéaste amateur qui ne sait pas stabiliser sa caméra. Cependant, dans certains cas, l'ambiguïté demeure : assis dans un wagon à l'arrêt, nous avons pendant quelques secondes l'illusion* d'un mouvement quand le train voisin démarre (phénomène de vection). Une autre illusion, le mal de terre des marins, illustre le caractère adaptatif du système nerveux : selon A. Berthoz, le cerveau se débarrasserait de la stimulation permanente des oscillations de la mer en simulant un mouvement compensatoire ; sur la terre ferme, cet « anti-mouvement » persisterait quelque temps, créant l'impression que le sol oscille comme la mer. CE et JDB

MULTISENSORIEL (SPECTACLE)
La fête des sens

La prééminence de l'œil et de l'oreille sur les autres sens a imposé semblable hiérarchie dans le domaine des arts, mais le rêve d'une fusion sensorielle a hanté de nombreux artistes. À la fin du XVIe siècle, en Europe, les ballets de cour se veulent d'éblouissantes fêtes pour les sens : tandis que le roi et ses courtisans dansent au son de l'orchestre, les effluves des mets exotiques se mêlent à ceux des huiles parfumées qui alimentent des lampes munies de filtres colorés. Déjà mentionnée par Ptolémée au Ier siècle de notre ère, l'idée d'une correspondance entre les sons* et les couleurs* trouve des applications concrètes avec Castel, qui vers 1720 s'inspire du spectre de Newton pour construire son « clavecin oculaire » : la lumière éclaire des bandes colorées correspondant aux différentes notes de musique*.

Les recherches se multiplient dès la fin du XIXe siècle, quand les travaux de Maxwell révèlent la nature vibratoire de la lumière*. Cette (fausse) parenté de nature avec le son incite le peintre anglais Rimington à « traduire » Chopin et Wagner en projections colorées. En 1892, à New York, a lieu le « premier concert expérimental de parfum ». Skriabine, peu avant sa mort en 1915, envisage quant à lui un grand spectacle fusionnel et synesthésique* mêlant musique, danse*, couleurs, parfums* : les spectateurs, saisis dans leurs corps par les « vibrations » des artistes, se mettraient à évoluer selon une chorégraphie symbolisant le mouvement des planètes, avant de se fondre en un être divin, dématérialisé. Plus récemment, le ballet *Quintessence*, présenté à Avignon (1997), témoigne du même désir de solliciter tous les sens. CE

Orazio Gentileschi, *Joueuse de luth,* v. 1615. H/t 143,5 × 128,8. Washington, National Gallery.

Musique

Dès son début, la théorie musicale des pythagoriciens a reposé sur l'étude des relations numériques existant entre la longueur d'une corde pincée et les intervalles musicaux. Le son* engendré par une corde vibrante dépend en effet de la longueur de celle-ci : raccourcie aux deux tiers, par exemple, elle produit une note située sept demi-tons (une quinte) plus haut. C'est sur cet intervalle de quinte que repose la gamme diatonique primitive, dont sont issues les gammes modernes occidentales. Son extrême complexité acoustique et temporelle, ainsi que son organisation séquentielle, font de la musique un matériau privilégié pour l'étude de l'audition*. Une œuvre musicale se compose à la fois de sons périodiques, pour le motif mélodique et l'harmonie, et de bruits, utilisés de façon rythmique. La plupart des cultures s'accordent à distinguer hauteur tonale, timbre, intensité et rythme, mais les relations qui organisent ces catégories peuvent différer : la musique occidentale, par exemple, privilégie l'aspect tonal. Tout auditeur, même non musicien, acquiert très tôt une connaissance implicite de cette organisation ainsi que des configurations mélodiques ou rythmiques les plus fréquentes. En cela, la musique se rapproche du langage parlé. Comme lui aussi, elle est porteuse de sens. Loin de se réduire à une théorie des nombres, elle a le pouvoir d'évoquer une gamme infinie de sentiments, et les émotions qui peuvent nous étreindre à l'écoute de la *Passion selon saint Jean* de Bach témoignent de sa dimension expressive et symbolique. CE

« La musique est un exercice d'arithmétique secrète, et celui qui s'y livre ignore qu'il manie des nombres. »

Leibniz, Lettre à Goldbach, 1712.

Nez

Organe de l'olfaction*, le nez est naturellement le symbole du flair, de l'appréciation intuitive (« avoir du nez », « à vue de nez »...). Parce qu'il est la partie la plus saillante du visage (« comme le nez au milieu de la figure ») et qu'il peut présenter une grande variété de formes, la tentation a toujours été forte d'y voir un indice révélant le caractère d'un individu : « Un grand nez est proprement l'indice,/D'un homme affable, bon, courtois, spirituel » (E. Rostand, *Cyrano de Bergerac*, I, IV). La croyance populaire veut même que sa taille, chez un homme, renseigne sur celle de son pénis.

La détection des odeurs* se fait dans la partie supérieure des fosses nasales, dans une petite zone appelée épithélium olfactif. Une fine couche de mucus permet d'abord de solubiliser les molécules odorantes inhalées, avant que celles-ci soient captées par les cils des cellules réceptrices. Ces cellules nerveuses, en contact direct avec le milieu extérieur, sont soumises à de nombreuses agressions, mais, à la différence des neurones du cerveau, elles sont renouvelées en permanence (environ tous les 2 mois) ; l'olfaction est donc la modalité sensorielle la moins affectée par le vieillissement*, et la rumeur selon laquelle le tabac réduirait la sensibilité olfactive est tout à fait exagérée, ainsi que l'ont d'ailleurs montré des études récentes (1990). Les prolongements des cellules réceptrices traversent la boîte crânienne jusqu'au bulbe olfactif, d'où les signaux nerveux sont transmis vers les centres olfactifs du cerveau*. CE et JDB

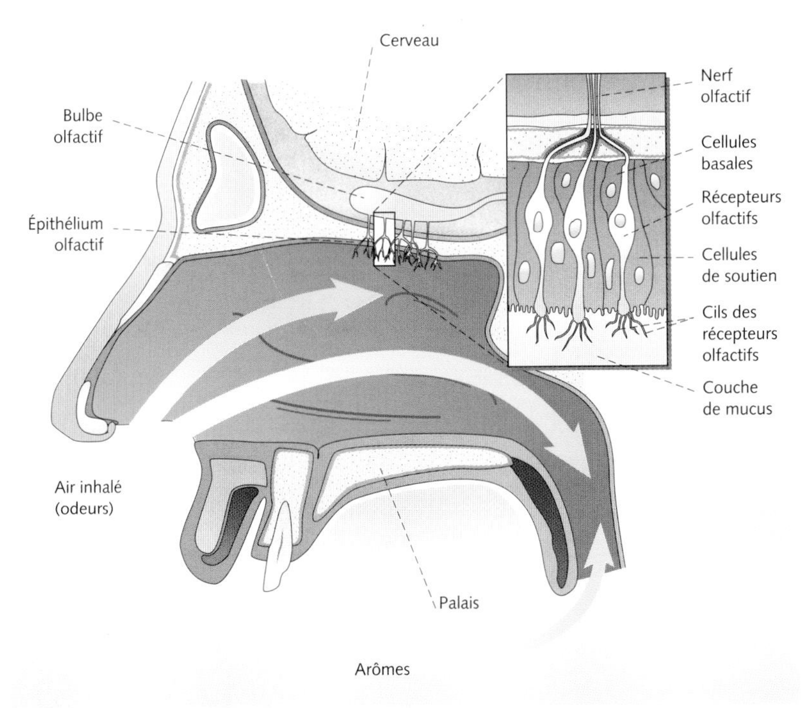

Léon Frédéric, *Fragrance*, 1894. H/t 100 × 66. Coll. part.

« Seules, plus frêles, mais plus vivaces, plus immatérielles, plus persistantes, plus fidèles, l'odeur et la saveur restent encore longtemps, comme des âmes, à se rappeler, à attendre, à espérer, sur la ruine de tout le reste, à porter sans fléchir, sur leur gouttelette presque impalpable, l'édifice immense du souvenir. »

Proust, *Du côté de chez Swann*, 1913.

■ Odeur

Bien que nous puissions détecter quelque 10 000 odeurs différentes (100 000 pour les professionnels du parfum*), leur classification reste un problème non résolu. Plusieurs systèmes comportant de quatre à neuf odeurs de base ont été proposés, mais ils sont d'usage très délicat, et aucun ne repose sur une réalité physiologique.

Pour le héros du roman de Süskind, parfumeur assassin et inodore*, l'odorat est un art ; l'action se passe au XVIIIe siècle, avant que Darwin fasse de cette faculté le témoin atrophié de nos lointaines origines animales. Dévalorisées par Aristote (« chez nous ce sens n'est pas aigu, mais inférieur même à ce qu'il est chez beaucoup d'animaux », *De l'âme*, II, 9), dépréciées par le christianisme, qui ne tolère que les effluves de l'encens et l'odeur de sainteté qui émane des corps chastes des bienheureux, les odeurs verront leur statut changer au gré de l'importance accordée au corps. Pour la majorité des philosophes, de Descartes* à Merleau-Ponty* en passant par Kant et Hegel, l'odorat est un sens instable, évanescent, et son rôle dans la connaissance est négligeable. Condillac*, en dotant sa statue d'abord de la faculté olfactive, fait figure d'exception.

Écrivains et poètes, en revanche, apprécient la puissance sensuelle des odeurs. Chez Baudelaire, les « parfums frais comme des chairs d'enfants, /Doux comme les hautbois, verts comme les prairies » répondent au « ventre plein d'exhalaisons » de cette charogne vue au détour d'un sentier. Huysmans, Zola, Maupassant, plus tard Proust célébreront la puissance de leur pouvoir évocateur. CE

■ Œil

L'œil est, de tous les organes des sens, celui que les diverses cultures* ont le plus investi de valeurs symboliques : considéré dans l'Antiquité* comme une source (et non un récepteur) de lumière, il est souvent associé au soleil ; métaphoriquement, il représente la connaissance et la perception surnaturelle du voyant*, mais est aussi attaché au mauvais sort (le « mauvais œil »). La richesse du mot, tant symbolique que phraséologique, témoigne de la prééminence de la vision* chez les primates.

Dans sa structure, l'œil est un globe protégé par les paupières, lubrifié et nettoyé par les sécrétions lacrymales, et animé par trois paires de muscles. La cornée, enchâssée dans la sclérotique, agit comme un dioptre sphérique et assure l'essentiel de la focalisation de la lumière sur la rétine*. L'iris, dont la couleur varie selon les individus, modifie le diamètre de la pupille et donc la quantité de lumière entrant dans l'œil. Le cristallin, très sensible au vieillissement*, permet l'accommodation : la contraction des muscles ciliaires lui donne une forme bombée lorsque nous regardons un objet proche (moins de 6 mètres), ce qui augmente sa puissance de convergence. On retrouve dans cette description les dispositifs fondamentaux de l'appareil photographique – objectif, diaphragme, mise au point –, mais l'analogie s'arrête là car la rétine n'a rien d'un film attendant d'être impressionné. C'est elle qui effectue le premier traitement de l'information lumineuse, étape essentielle pour construire dans notre cerveau une représentation du monde extérieur. CE et JDB

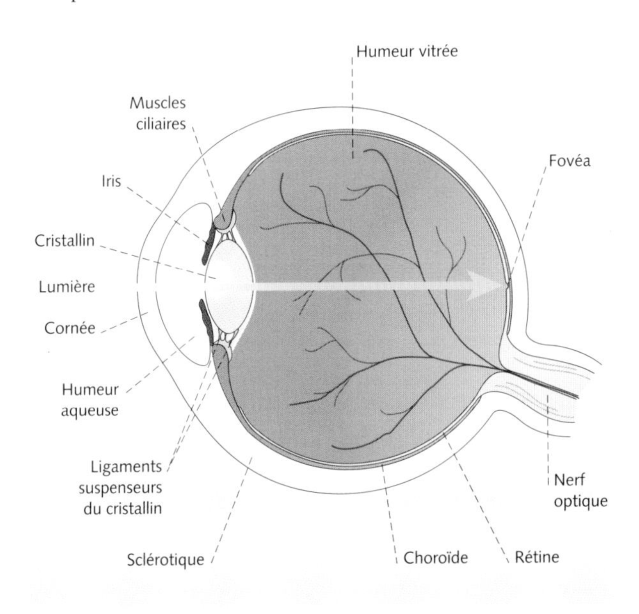

■ OLFACTION

La sensibilité chimique est universelle dans le monde animal*, car elle permet une sélection précise des aliments et des partenaires sexuels. L'olfaction est l'une des formes de sensibilité chimique, dont les stimuli sont des molécules véhiculées par l'air. Chez l'homme, comme chez les autres mammifères, les récepteurs de l'odorat sont localisés dans la partie postérieure du nez*, au sein de la muqueuse olfactive. Seulement 4 % des substances volatiles atteignent ces cellules réceptrices, si bien qu'une inspiration forcée est nécessaire pour augmenter le débit d'air, et donc le nombre de molécules perçues. Pour bien sentir une odeur*, il faut la renifler.

Les différentes molécules odorantes activent les récepteurs selon le modèle « clé-serrure » : la forme de la molécule (la clé) doit s'adapter à celle du récepteur (la serrure) pour déclencher un signal nerveux. Ces signaux convergent vers des sites du bulbe olfactif appelés « glomérules », bien moins nombreux que les récepteurs, avant d'être transmis au cortex olfactif. Chaque cellule réceptrice

Jan Brueghel de Velours et Pierre Paul Rubens, *Allégorie des sens : L'Odorat*, 1617-1618.
H/t 64 × 109. Madrid, Museo del Prado.

pouvant être activée par un grand nombre de substances, on pense que la perception de chaque odeur résulterait de la distribution des réponses dans l'ensemble des neurones des structures olfactives.

Bien que dix mille fois plus sensible que la gustation*, qui lui est intimement liée, l'olfaction est un sens relativement peu développé chez l'homme : les cellules olfactives occupent la taille d'un timbre-poste dans chacune de nos cavités nasales et elles sont vingt fois moins nombreuses que chez le chien. Une faible concentration suffit à nous faire percevoir la présence d'une odeur, mais non à l'identifier. L'apparition de la bipédie, en élevant notre nez à plus d'un mètre du sol et donc en le soustrayant aux stimulations les plus intéressantes, a sans doute contribué à ce que nous dépendions davantage des systèmes visuel et auditif que de notre flair. Si elle n'est pas fondamentale pour la survie de notre espèce, l'olfaction joue toutefois un grand rôle social et émotionnel, comme en témoigne l'histoire des parfums* et des mythes qui s'y rattachent. CE et JDB

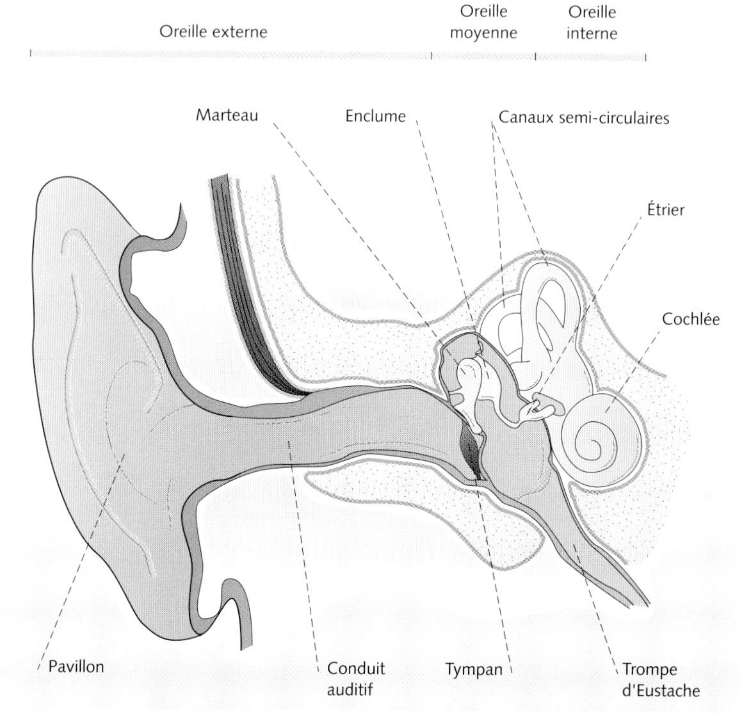

■ Oreille

Organe de l'audition*, récepteur du langage, de la musique*, mais aussi de la Parole divine, l'oreille a souvent été assimilée à une matrice que viendrait ensemencer le Verbe. Condamnée par le concile de Nicée, la thèse selon laquelle le Saint-Esprit aurait fécondé Marie en pénétrant dans son oreille sous la forme d'une colombe, a donné lieu à une riche iconographie au Moyen Âge, et nombreux sont les héros mythologiques qui, tel Gargantua sorti « par l'aureille senestre » de Gargamelle, sont nés de l'oreille de leur mère. Selon un mythe du Dahomey, c'est à la place des oreilles que le dieu Mawu avait d'abord disposé les organes sexuels féminins. La même symbolique est à l'œuvre dans l'expression française « avoir la puce à l'oreille », qui jusqu'au XVIe siècle conservera un sens érotique. Chez les Dogons et les Bambaras du Mali, le symbole sexuel est double, le conduit auditif étant l'élément femelle, le pavillon l'élément mâle.

Le pavillon et le conduit auditif, fermé par le tympan, ne constituent que la partie la plus visible de l'oreille (oreille externe). Le premier canalise les ondes sonores et joue un rôle important dans la localisation de leur source, tandis que le second agit comme un résonateur. Quand le tympan vibre, les osselets de l'oreille moyenne (marteau, enclume, étrier) transmettent ces mouvements à la cochlée, dans l'oreille interne. Détectées par les cellules ciliées, les vibrations sont converties en signaux électriques envoyés au

Jacques, Jean-Paul et Marcel Guerlain dans leur atelier.

cerveau*. L'oreille interne comprend également d'autres structures, comme les canaux semicirculaires, qui ne sont pas liées à l'audition mais à l'équilibration*. CE et JDB

Parfum

Invisible, évanescent, insaisissable, enivrant, le parfum a des liens avec le divin. Dans la plupart des civilisations de l'Antiquité, parfums et aromates sont offerts aux dieux. Les riches Égyptiennes s'enduisent le corps d'huile de palme aromatisée et oignent leurs mains d'huile de rose mêlée d'essences de violette et de crocus. La panthère, selon les anciens Grecs, chasserait en attirant ses proies grâce à son « parfum admirable » ; A. Le Guérer (1998), notant que le grec *párdalis* désigne à la fois le félin et la courtisane, propose de voir dans ce mythe « le symbole de toutes les captures et de toutes les séductions ». Chez les Égyptiens, les huiles odorantes ont aussi pour fonction d'empêcher la putréfaction des corps embaumés. Le pouvoir purificateur des parfums est renforcé par le fait que beaucoup d'entre eux proviennent de la combustion de résines aromatiques. « Parfumer », qui vient du latin *fumare*, gardera jusqu'au XVIe siècle le sens de « purifier par fumigation ». Dès l'Antiquité, on préconise l'emploi des parfums pour combattre la peste, dont on pense qu'elle résulte d'une corruption, d'une infection de l'air. Issues de foyers fétides, des « vapeurs pestilentielles » se répandraient dans les villes et « empesteraient » les populations. La définition que la médecine du XVIIe siècle donne des parfums : « toutes les vapeurs bonnes ou mauvaises, qu'on fait eslever en l'air pour guerir les maladies » (Furetière, 1690), vaudra jusqu'à la fin du XIXe siècle. CE

« Ma sœur, mon épouse, est un jardin fermé [...]. Le nard et le safran, la canne aromatique et le cinnamome, avec tous les arbres du Liban, s'y trouvent aussi bien que la myrrhe et l'aloès, et tous les parfums les plus excellents. »

Le Cantique des Cantiques, trad. de Lemaître de Sacy.

« Le toucher
C'est le sens du corps tout entier :
Par lui pénètrent en nous les impressions du dehors,
Par lui se révèle toute souffrance intérieure de l'organisme
Ou bien, au contraire, le plaisir provoqué par l'acte fécondant de Vénus. »

Lucrèce, *De natura rerum*, II, 434.

Peau

La peau, enveloppe élastique, étanche, lavable, est l'organe le plus étendu (1,6-1,8 m^2) du corps humain. Elle assure un rôle protecteur essentiel contre la déshydratation et les agressions de l'environnement, ainsi que des fonctions de régulateur thermique et d'organe sensoriel – le seul qui ne puisse jamais se soustraire aux stimuli. Outre les terminaisons nerveuses sensibles à la douleur* et aux variations de température (voir Chaud et froid), les tissus cutanés renferment divers types de récepteurs mécaniques. Les corpuscules de Meissner, présents dans la peau glabre juste au-dessous de l'épiderme, permettent de sentir les contacts les plus légers et sont associés au toucher* proprement dit. Plus profondément dans la peau, les terminaisons nerveuses entourant les follicules pileux réagissent aux mouvements des poils. Ces deux types de récepteurs s'adaptent rapidement, ce qui explique par exemple que nous ne sentions plus nos vêtements très vite après les avoir mis. Leur densité est particulièrement élevée au bout des doigts et à l'extrémité de la langue : si l'on y applique simultanément deux pointes de compas, un écartement de 1 à 3 mm suffit à distinguer les deux stimuli (dans le dos, deux contacts distants de 4 cm peuvent être confondus). La sensibilité à la pression et à l'étirement est assurée par des récepteurs à adaptation lente, dont l'activité ne cesse qu'avec l'arrêt du stimulus. Au contraire, les corpuscules de Pacini répondent aux vibrations dans une gamme de fréquences allant de 30 à 1 500 Hz, avec une sensibilité maximale vers 300 Hz ; ce sont eux qui donnent la sensation d'« entendre » les basses fréquences « par le ventre ». CE et JDB

À droite :
Claude Monet, *La Cathédrale de Rouen, le portail, soleil matinal. Harmonie bleue*, 1894.
H/t 91 × 63.
Paris, musée d'Orsay.

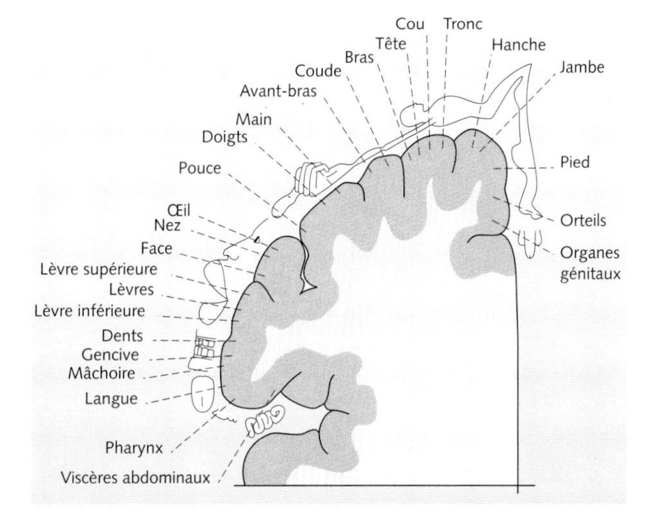

Représentation de la surface du corps au niveau du cortex somatosensoriel.

PEINTURE
Imiter la nature ?

On dit que l'art minutieux de Zeuxis, à la fin du Ve siècle av. J.-C., imitait si bien la nature que des oiseaux voulurent picorer les raisins de sa fresque. Au XVe siècle, Van Eyck déploie des trésors de patience et de savoir-faire pour rendre la transparence du verre, l'éclat du métal, les crins des chevaux. La Renaissance donne toute sa puissance à l'illusion avec l'invention de la perspective*, savamment élaborée sur des considérations géométriques. Au milieu du XIXe siècle, les impressionnistes rejettent en bloc les conventions de l'académisme. Peintres du plein air, ils privilégient la lumière et le mouvement, abandonnent la perspective et son illusion de profondeur*, refusent les gris, les noirs, le clair-obscur, colorent les ombres. La lumière naturelle est rendue par des couleurs franches qu'ils ne mélangent pas sur la palette : c'est dans l'œil du spectateur que les tons doivent se fondre (mélange optique). La juxtaposition de couleurs complémentaires suggère l'éclat vibrant du soleil, les coups de pinceau recréent les clapotis des eaux, les frissons du feuillage. Le public n'y voit d'abord qu'un mélange confus de couleurs, mais l'œil, finalement, s'y fait très bien. Ainsi, bien avant que la science soit en mesure de les expliquer, les impressionnistes ont su exploiter les principes les moins intuitifs de la perception visuelle. À leur suite, les néo-impressionnistes se passionnent pour les théories de la couleur : Seurat, qui a étudié les travaux de Chevreul*, emploie des couleurs pures divisées en petites touches. Avec le cubisme, largement préparé par Cézanne, la révolution est plus radicale encore puisque c'est la primauté de la vue elle-même qui est remise en cause, accusée de tenir le réel à une trop grande distance. Le corps entier en tant qu'organe perceptif participe à la peinture. CE

« Le tourbillonnement du monde, au fond d'un cerveau, se résout dans le même mouvement que perçoivent, chacun avec son lyrisme propre, les yeux, les oreilles, la bouche, le nez... »

Cézanne, cité d'après J. Gasquet.

Abraham Bosse, *Les Perspecteurs*, 1648.

Perspective

Comment, sur un support plan, donner l'illusion* des trois dimensions, tel fut longtemps l'un des enjeux majeurs de l'art occidental. Les Anciens, en particulier dans leurs décors de théâtre, utilisent ce que la Renaissance nommera « perspective naturelle », dont l'*Optique* d'Euclide avait jeté les bases. Il s'agit d'une perspective angulaire (la grandeur apparente d'un objet dépend de l'angle sous lequel on le voit, et non de sa distance), induisant un axe (et non un point) de fuite. Assez proche de la réalité physiologique, elle reste difficile à mettre en œuvre et peut engendrer d'importantes discordances (Panofsky, dans *La Perspective comme forme symbolique*, précise qu'elle ne peut jamais « aboutir à une représentation cohérente d'un pavement en échiquier »). Au XVe siècle, Alberti (*De pictura*, 1435) propose aux peintres une perspective dite « artificielle », où l'image se construit comme l'intersection du tableau avec l'ensemble des rayons issus de l'œil. Un dispositif, l'intersecteur, permet de matérialiser cette « pyramide visuelle » et de relever le contour des objets en s'aidant d'un quadrillage. Avec l'introduction de la perspective aérienne, qui estompe les formes et les couleurs dans le lointain, l'illusion semble parfaite – à condition que le spectateur adopte le regard originaire du peintre. En réalité, cette projection plane n'obéit pas aux règles de la vision naturelle, où les rayons lumineux, captés par deux yeux sans cesse mobiles, se projettent sur une rétine courbe. Si la peinture*, depuis Cézanne, a tenté de rompre avec cette conception euclidienne de l'espace*, ni la photographie* ni le cinéma* ne se sont départis de cette relation spatiale instaurée entre sujet, image et objet. CE

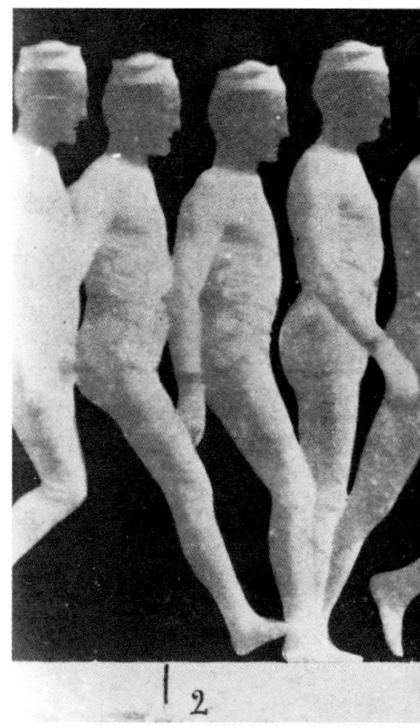

Photographie

Baptisée « chambre close du trésor » dans l'ancienne Chine, la chambre noire a fasciné l'Occident depuis l'Antiquité. Sa première description, due à Della Porta à la fin du XVIe siècle, incitera Descartes* à y voir un modèle de l'œil* : « On ne peut douter que les images qu'on fait apparaître sur un linge blanc, dans une chambre obscure, ne s'y forment [...] pour la même raison qu'au fond de l'œil » (*Dioptrique*, 1637). Longtemps utilisé par les peintres* pour reproduire à l'identique des paysages, le procédé, joint à l'invention de Niépce qui permet de fixer l'image*, est à l'origine de la photographie (née officiellement en 1839). Dès lors, « c'est la lumière qui peint, qui dessine » (Disdéri). Le regard*, appareillé, perd de sa subjectivité – du moins le croit-on. Soumise à la présence de l'objet, la photographie dans sa nature physico-chimique est perçue comme l'empreinte d'un monde réel dont elle rend compte. Mais pour les scientifiques, ce sont de nouveaux mondes qu'elle rend visibles : entre les mains des astronomes, les temps de pose très longs qu'elle permet révèlent des milliers de corps célestes que l'œil humain, même prolongé d'une lunette astronomique, n'aurait pu voir.

Pour Janssen, inventeur du revolver photographique, la photographie constitue « la véritable rétine du savant ». Le physiologiste Marey y voit un instrument idéal, plus rigoureux que nos sens, pour enregistrer une réalité fugitive. En figeant le mouvement*, la technique photographique livre ce que l'œil ne peut saisir, et le résultat diffère souvent des représentations traditionnelles : les instantanés d'un cheval au galop réalisés par Muybridge amèneront certains artistes à effectuer des repentirs sur leurs toiles, tandis que d'autres, tel Rodin, continueront de s'attacher à rendre l'*impression* du mouvement. CE

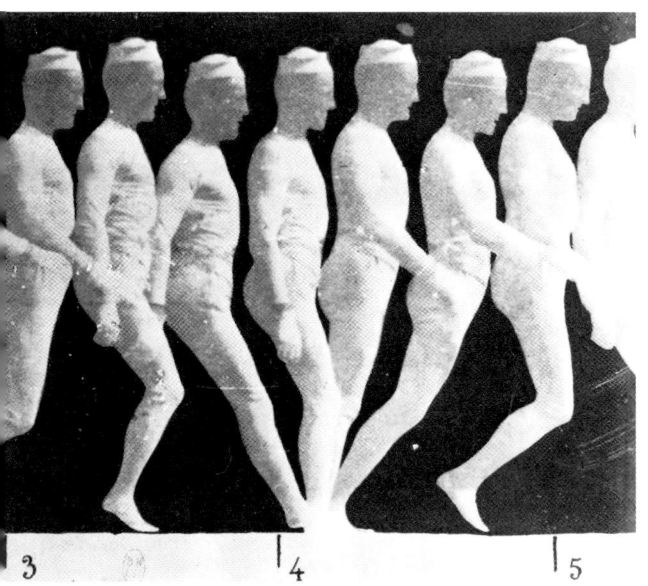

Étienne Jules Marey, *Décomposition du mouvement*, 1883. Paris, Bibliothèque nationale de France.

Page suivante : Cellules de la rétine : les cônes (les plus petits) et les bâtonnets.

PIGMENTS RÉTINIENS : LA PERCEPTION COLORÉE

Les couleurs* sont une construction du cerveau*. Mais cette idée, qui va à l'encontre de l'intuition, ne s'est imposée que dans les années 70, et le vocabulaire courant reste profondément marqué par l'ancienne conception selon laquelle les couleurs existeraient à l'extérieur de nous. Sans doute parlera-t-on longtemps encore de « perception des couleurs » plutôt que de « perception colorée »... Les cônes et les bâtonnets de la rétine* contiennent des substances appelées « pigments » qui se décomposent sous l'action de la lumière*, transformant l'énergie des photons en signaux chimiques et électriques. Il existe chez l'homme trois sortes de cônes, sensibles préférentiellement à des intervalles de longueurs d'onde spécifiques, et c'est la comparaison des informations dans ces différentes gammes qui engendre les sensations colorées. Les bâtonnets, sollicités pour la vision nocturne et crépusculaire, ne possèdent qu'un seul type de pigment rétinien ; ils ne permettent donc pas la perception colorée : la nuit, tous les chats sont gris. Les « couleurs » des peintres* sont des substances colorantes (appelées aussi « pigments ») et non de la lumière : si un pigment nous paraît rouge, c'est parce qu'il absorbe toutes les longueurs d'onde

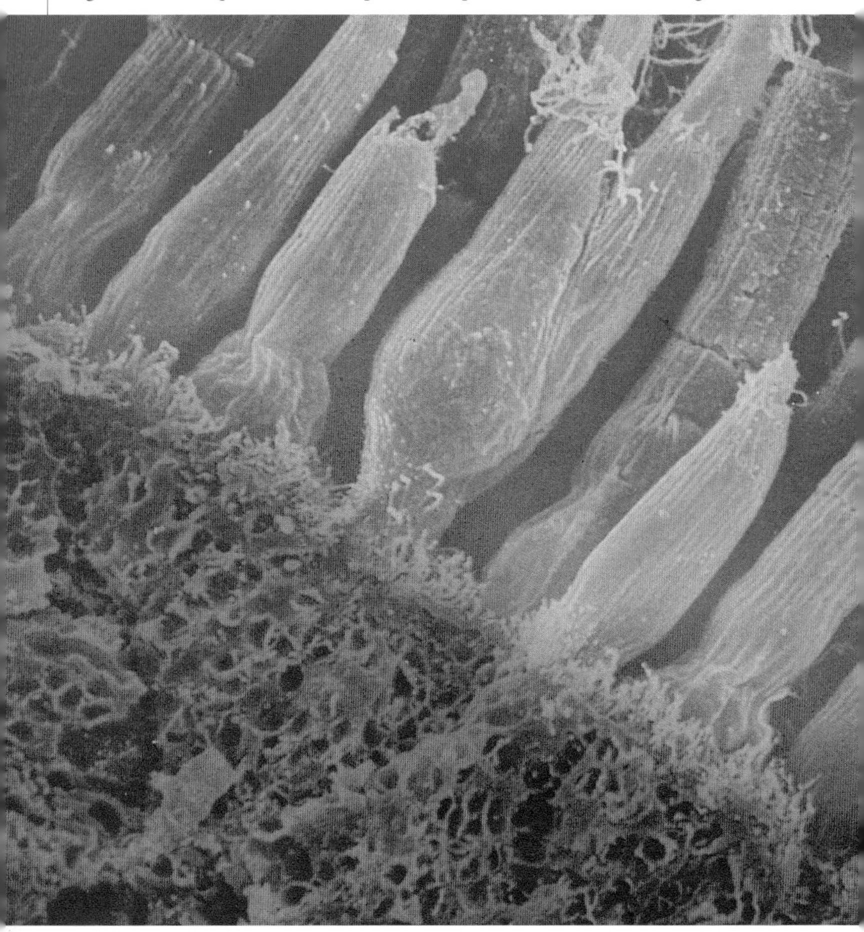

sauf une frange correspondant à cette sensation chromatique. Le mélange de pigments est une addition de plusieurs zones d'absorption, ce qui revient à une soustraction, tandis que le mélange optique est une addition de longueurs d'onde.

C'est à Newton, à la fin du XVIIe siècle, que l'on doit d'avoir distingué sept couleurs dans le spectre. Cette classification répondait uniquement à un souci d'harmonie (on répertoriait à l'époque sept planètes, autant que de notes dans la gamme) : les couleurs forment en réalité un continuum, que découpe arbitrairement le vocabulaire*. CE et JDB

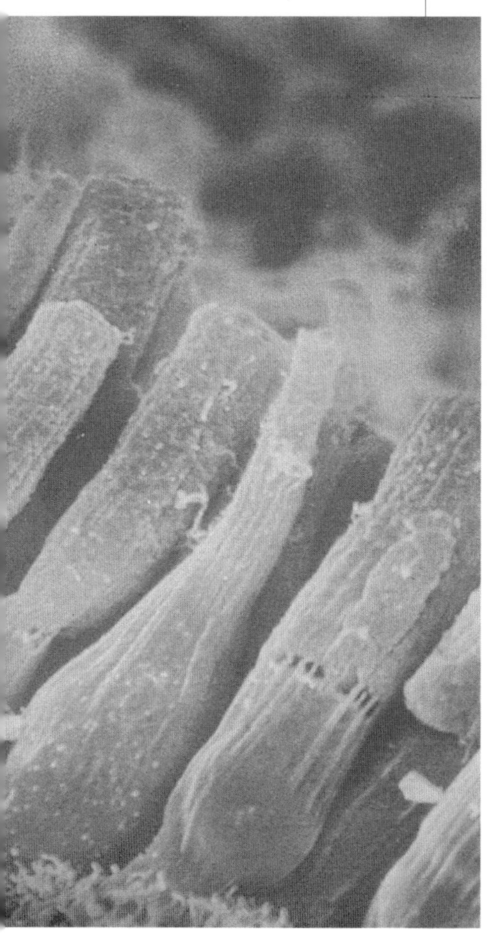

Profondeur. Voir Relief

Proprioception

Parce qu'elle nous renseigne sur la position et les mouvements de notre propre corps dans l'espace* plutôt que sur l'environnement, aussi parce que ses capteurs sont moins facilement identifiables que les yeux ou les oreilles, la proprioception n'a été reconnue comme un sens à part entière qu'à la fin du siècle dernier. Les récepteurs mis en jeu (propriocepteurs), localisés dans les muscles, les tendons et les articulations, fournissent une sorte de « vision interne » du corps, que celui-ci soit en mouvement* ou immobilisé dans une posture.

Au repos, les angles formés par chaque articulation indiquent la position relative des membres entre eux et par rapport au corps ; cette sensibilité est assez grossière, mais peut être améliorée par l'apprentissage, comme les tireurs à l'arc en font l'expérience. La sensibilité au déplacement est beaucoup plus précise car, outre les capteurs de rotation des articulations, elle mobilise des capteurs mesurant le degré et la vitesse d'étirement de chaque muscle : une rotation du bras de 1 degré par seconde est facilement détectée, et les articulations des doigts de la main* sont plus sensibles encore. Enfin, des récepteurs spécialisés mesurent l'effort qu'exerce le muscle sur son articulation, mais il est souvent difficile de distinguer cette information de celle provenant de la sensibilité de la peau* à la pression.

Certains troubles* de la proprioception peuvent être très déstabilisants, car le sujet, « désincarné », ne peut plus situer ses membres que par la vue. CE et JDB

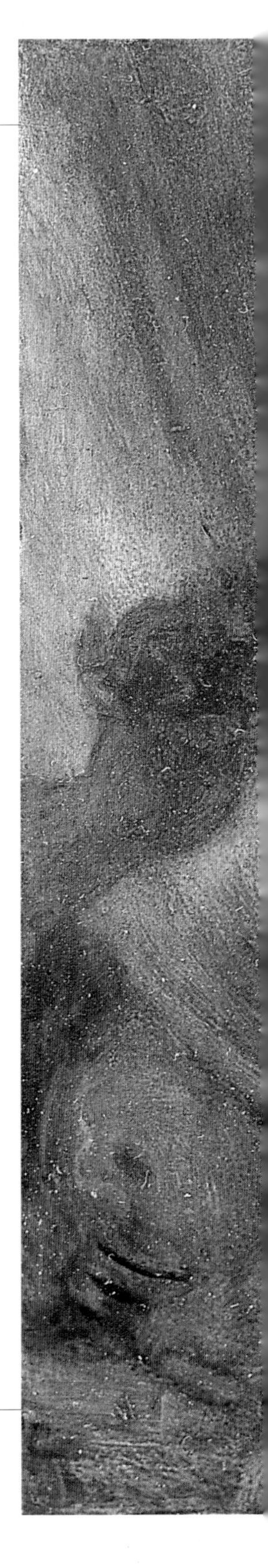

REGARD
Une incursion dans l'intimité

Lorsque nous regardons autour de nous, nos yeux cherchent toujours à fixer un objet, c'est-à-dire à amener son image sur la zone centrale de la rétine*, la fovéa, dont l'acuité est maximale. Ils ne balaient donc pas une scène d'un mouvement régulier, mais sautent de point en point, effectuant une série de pauses et de « saccades » dont nous n'avons pas conscience. L'enregistrement de ces mouvements oculaires montre que nous avons tendance à privilégier les détails les plus contrastés, notamment les yeux et la bouche s'il s'agit d'un visage humain. D'autres espèces animales (chimpanzés, babouins...) manifestent d'ailleurs les mêmes préférences pour ces régions faciales les plus informatives. Si sa première fonction est la collecte d'informations visuelles, le regard a aussi acquis chez certaines espèces un rôle de signal social, et les travaux en éthosociologie ont révélé son influence prépondérante dans l'organisation du groupe. Chez les primates, un regard réciproque fixe est une des composantes principales des manifestations de menace, tandis que la soumission s'accompagne d'une rupture du contact visuel. Chez l'homme, un contact oculaire prolongé est souvent vécu comme une incursion dans l'intimité de l'autre (et n'est recherché que dans les rapports amoureux). Parmi les signaux non verbaux, le regard est le premier par lequel on annonce son intention de communiquer. L'utilisation appropriée des regards dans les interactions sociales dépend pour une large part de normes culturelles : en Occident, la règle consiste à regarder celui qui parle, alors que cette attitude est prohibée par exemple dans certaines cultures africaines. La croyance au « mauvais œil », manifestation de la toute-puissance de ce contact à distance, semble en revanche universelle. CE

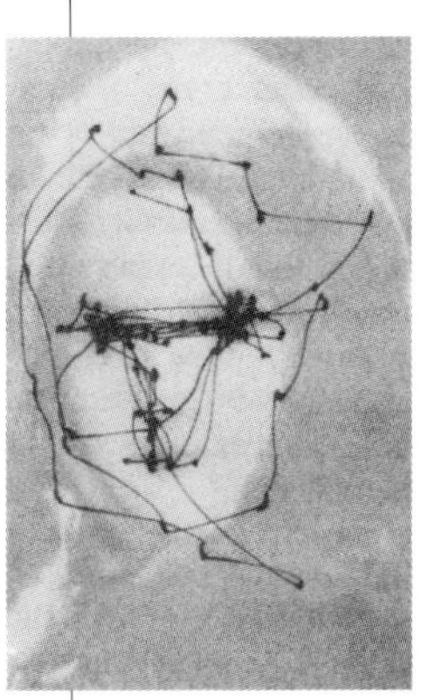

Enregistrement des mouvements oculaires sur un visage par le physiologiste A. Yarbus, 1957.

Jean-Honoré Fragonard (1732-1806), *Les Curieuses.* H/t 160 × 120. Paris, musée du Louvre.

Jacques Ninio, Effet Claparède (observée à travers une feuille de papier roulée, cette image prend un relief analogue au relief stéréoscopique).

■ Relief

La perception du relief résulte d'une construction perceptive à partir des images* à deux dimensions se formant sur la rétine de chaque œil*. De nombreux indices participent à cette construction, dont la plupart ne nécessitent qu'un seul œil. Par exemple, l'occultation partielle d'un objet lointain par un objet opaque plus proche est un phénomène dont les bébés savent tirer parti dès l'âge de 4 mois. Les ombres revêtent aussi une grande importance ; dans une image ambiguë ou inhabituelle, les zones sombres sont interprétées comme l'ombre portée de parties en relief, ces parties semblant éclairées par une source lumineuse située en haut et à droite. Toutes les règles de la perspective*, comme la convergence des lignes parallèles, le resserrement de la texture*, la diminution de la taille apparente, la perte des détails et le bleuissement des paysages avec l'éloignement sont autant d'indices exploités par le système visuel – et par les peintres – pour restituer la profondeur.
Un autre indice essentiel, appelé « stéréopsie », est lié à la vision binoculaire et repose sur le léger décalage entre les images projetées sur chaque rétine. Depuis le premier stéréoscope construit par Wheatstone au XIXe siècle, ce phénomène est à l'origine de nombreux procédés de reproduction du relief utilisant deux images légèrement décalées. Récemment, les travaux de Bela Julesz sur les stéréogrammes aléatoires ont conduit à une grande diffusion d'images « magiques » permettant la restitution du relief au prix d'un effort d'accommodation particulier. CE et JDB

■ Rétine

La rétine est un tissu cellulaire complexe qui tapisse le fond de l'œil* et sur lequel se forme, inversée, l'image du monde extérieur. Appliquée sur la choroïde, une première couche contient de la mélanine, qui empêche la dispersion de la lumière* et donne à la pupille son apparente couleur noire. Viennent ensuite les cellules sensibles à la lumière, ou photorécepteurs (cônes et bâtonnets). Les signaux nerveux issus de ces photorécepteurs sont traités au sein de plusieurs couches de cellules au câblage sophistiqué, jusqu'aux cellules ganglionnaires qui génèrent le message nerveux et dont les prolongements (axones) forment le nerf optique. Le point de regroupement de ce nerf est dépourvu de cellules photosensibles et la portion de l'image qui se projette sur cette « tache aveugle » ne peut être perçue ; le cerveau opère néanmoins un « remplissage » qui fait que nous n'avons pas conscience de cette absence d'information. Le centre de la fovéa, dans l'axe du regard*, est la zone où la finesse de discrimination est la plus grande. Extension embryologique du cerveau*, la rétine contient plusieurs étages de neurones qui assurent les premiers traitements de l'image. Dans le message acheminé vers le cortex visuel se trouvent codés les contrastes de luminance et les contrastes chromatiques, leur étendue spatiale, ainsi que des éléments des formes* et du mouvement* du stimulus. CE et JDB

■ Saveur

Aristote*, dans son traité *De l'âme*, distingue « les saveurs simples qui sont les contraires, le doux et l'amer ; puis les saveurs dérivées, du premier, l'onctueux, du second, le salé. Les saveurs intermédiaires sont l'aigre, l'âcre, l'astringent, l'acide » (livre II, 10, 422 b). Au XVIIIe siècle, Linné répertorie dix modalités, mêlant encore qualités tactiles et gustatives. L'usage courant consistant à définir quatre saveurs fondamentales (le sucré, le salé, l'acide, l'amer) a pour origine les travaux du psychologue Henning (1916) ; du tétraèdre qu'il proposa pour représenter le continuum des saveurs, la plupart de ses successeurs ne retinrent que les sommets, ainsi que le déplore A. Faurion (1996). On sait aujourd'hui que les récepteurs gustatifs de la langue* ne sont pas spécifiques de ces substances de base, mais qu'ils sont sensibles à une large variété de molécules. Des analyses multidimensionnelles récentes ont confirmé que l'espace subjectif de la gustation* est infiniment plus complexe que ne le laisse supposer le vocabulaire* limité dont nous disposons. À forte concentration, par exemple, la saccharine paraît amère. Les différences* individuelles sont très marquées, qu'elles soient liées à des facteurs génétiques, métaboliques, affectifs ou culturels. Aux quatre modalités initiales s'est depuis peu ajoutée la saveur « umami », évoquée par le glutamate de sodium. Ce dernier, couramment utilisé dans la cuisine asiatique, est également employé comme exhausteur de goût. CE

Charlotte au chocolat.

Jean Honoré Fragonard, *Le Verrou*, 1776. H/t 73 × 93. Paris, musée du Louvre.

Sensation

Selon une distinction répandue au XVIIIe et XIXe siècle, et encore courante aujourd'hui, les sensations sont les impressions produites immédiatement en nous par la stimulation des nerfs sensoriels, tandis que la perception résulte d'opérations mentales sur les sensations. On appelle sensations internes celles que le sujet, dans l'acte de perception, rapporte à son corps (telles que les sensations de faim, soif, douleur* ou plaisir) et sensations externes, celles qu'il rapporte au monde extérieur. À cette distinction entre sensation et perception a été fréquemment associée l'idée, exprimée notamment par Helmholtz*, que les sensations, étant le produit de processus purement physiologiques, peuvent être altérées par la maladie ou la fatigue mais non être modifiées par l'apprentissage. Selon une autre version également traditionnelle de la distinction, une sensation est un état sensoriel purement subjectif, tandis qu'une perception, qui suppose un acte épistémique, a un contenu représentationnel : elle présente le monde comme ayant telle ou telle propriété. Lorsque les deux versions de la distinction sont fondues ensemble, la perception est conçue comme le résultat d'un processus d'interprétation des sensations par elles-mêmes dénuées de contenu représentationnel. On peut aussi estimer que les deux distinctions ne se recouvrent pas.

SIXIÈME SENS : LE « SENS COMMUN »

L'unité profonde des divers emplois du mot « sens », qui a hérité de la polysémie du latin *sensus* et a subi l'influence de son homonyme d'origine germanique (*sens*, avec la valeur de « direction »), est aujourd'hui peu évidente. Comme le verbe « sentir », il se rattache pourtant pleinement à la perception, que celle-ci s'opère par les sens, l'intuition ou l'intelligence. Dès le XIIe siècle, trois grandes acceptions peuvent être relevées : raison, sensation, signification. Seule la première (faculté de juger, manière de voir) est devenue archaïque et n'est plus vivante que dans quelques expressions telles que « avoir du bon sens », « à mon sens », « en un sens »…

Apparu au XVIe siècle, le « sens commun » constitue un synonyme de « bon sens », mais les philosophes lui conserveront sa signification d'origine : le *sensus communis* d'Aristote* est cette faculté de l'âme, ce « sixième sens » chargé

Certains théoriciens contemporains soutiennent que si la sensation, prise comme état purement qualitatif, est bien l'accompagnement ordinaire de la perception, elle n'est pas la base dont elle dérive. EP

« Les sens abusent la raison par de fausses apparences [...]. Les passions de l'âme troublent les sens, et leur font des impressions fausses. Ils mentent et se trompent à l'envi. »

Pascal, *Pensées*, 1669.

d'unifier les informations fournies par les cinq autres. La liste des sens organiques, appelés aussi « sens dou cors » au XIIe siècle, « sens de nature » au XVIe, sera en effet longtemps limitée à cinq, symbole d'harmonie et d'équilibre, et symbole de l'homme (qui possède cinq extrémités : tête, bras, jambes).
C'est aussi aux fonctions sensorielles que se rapportent d'abord « sensualité » et « sensuel », tous deux empruntés au latin ecclésiastique, avant de prendre au XVIIe siècle leur valeur moderne ; mortifiés dans le vocabulaire chrétien, *les sens* (au pluriel) sont éveillés, troublés dans une littérature libertine exaltant leur ivresse*. L'expression « sixième sens » garde ce caractère au siècle suivant puisqu'elle désigne les sensations liées aux plaisirs de l'amour physique. En 1883, le physiologiste Charles Bell appliquera le terme à la sensibilité proprioceptive*, mais cet emploi ne réussira pas à s'imposer et le XXe siècle ne verra dans « sixième sens » qu'un synonyme d'« intuition ». CE

Son

Dans la langue courante, le mot « son » désigne aussi bien la sensation auditive que le stimulus physique qui en est à l'origine. Lorsqu'un corps vibre, les molécules d'air (ou plus généralement de gaz, de liquide, de solide) qui l'environnent se mettent à osciller autour de leur position d'équilibre, provoquant des variations de pression qui se propagent de proche en proche dans toutes les directions. Pour la majorité des sons, y compris ceux de la parole, les variations de pression présentent un caractère extrêmement irrégulier, rendant leur description très complexe. Chaque note de musique* est un son périodique, c'est-à-dire comportant un motif vibratoire qui se reproduit à intervalle constant. Un son « pur » est le cas idéal de l'onde périodique simple (sinusoïdale), caractérisée par sa fréquence et son intensité. Ces sons purs ont une grande importance dans l'étude de l'audition* car tout son périodique complexe peut être considéré comme une superposition de sons purs (harmoniques) dont les fréquences sont des multiples entiers ($2f$, $3f$, etc.) de la fréquence f la plus basse (fondamentale). L'oreille* humaine n'est sensible qu'à une gamme de fréquences allant de 20 à 20 000 hertz, tandis que certains animaux* perçoivent les ultrasons ou les infrasons. L'intensité sonore, liée à l'amplitude de la variation de pression, s'évalue en décibels : 0 dB correspond au seuil moyen d'audition, 60 dB à une conversation normale et 120 dB au seuil de douleur. CE et JDB

Son pur (sinusoïdal)

Amplitude
Période

Subliminale (Perception)

La notion de perception subliminale renvoie à l'idée que des stimuli présentés en deçà du seuil de conscience peuvent néanmoins faire l'objet d'un traitement perceptif inconscient et avoir un effet mesurable sur le comportement. L'idée de perception et de processus mentaux inconscients, déjà présente dans la théorie des « petites perceptions » de Leibniz, a suscité un intérêt théorique considérable et donné lieu à une immense littérature. Depuis un siècle, plusieurs paradigmes expérimentaux ont mis en évidence des dissociations entre

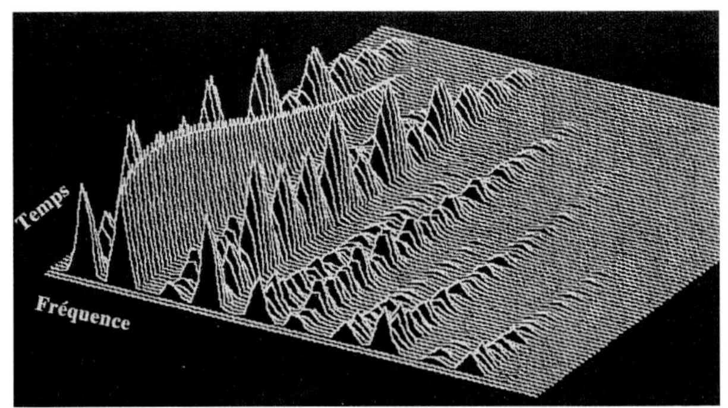

Représentation en trois dimensions d'un son de cloche.

mesures objectives de la perception et expérience perceptive consciente, ainsi que des différences qualitatives entre traitement conscient et inconscient de l'information perceptive. Par exemple, dans une tâche ou l'on demande à des sujets de dire si des suites de lettres présentées sur un écran sont ou non des mots de la langue, le temps de réponse est plus court si un mot est précédé par une brève présentation infraliminale d'un autre mot appartenant au même champ sémantique (*chien*-chat). Les difficultés méthodologiques et définitionnelles que pose l'étude de la perception subliminale continuent néanmoins d'alimenter les controverses et, malgré les avancées intervenues dans la compréhension des mécanismes attentionnels*, on ne dispose pas encore d'un cadre théorique unifié permettant d'expliquer ces phénomènes. EP

Surdité

Les personnes qui sont à la fois sourdes et aveugles se plaignent souvent davantage de leur surdité, car elle représente « la perte du stimulus le plus vital – le son de la voix, qui véhicule du langage, éveille les pensées et nous permet de demeurer intellectuellement en compagnie des hommes » (Helen Keller, 1910). Congénitale ou précoce (acquise avant 6 ans), la surdité peut entraîner le mutisme si elle n'est pas traitée. Selon la partie de l'oreille* atteinte, on distingue deux grands types de déficits. Dans les surdités de transmission, les sons* ne peuvent parvenir jusqu'à l'oreille interne, suite par exemple à un bouchon de cérumen obstruant le conduit auditif ; plus grave, une altération de la mobilité des osselets nécessite une intervention chirurgicale. Les surdités de perception ont leur origine dans l'oreille interne et sont dues le plus souvent à une atteinte des cellules réceptrices (cellules ciliées). Ces dernières peuvent être gravement endommagées par la consommation abusive de certains médicaments ou lors d'un traumatisme acoustique. Des normes de sécurité permettent aujourd'hui de limiter les risques de surdité professionnelle chez les personnes exposées régulièrement à des bruits intenses (marteaux-piqueurs, explosifs, réacteurs d'avion, boîtes de nuit, salles de concert...). Dénoncé depuis seulement quelques années, l'usage abusif du baladeur a provoqué une nette augmentation des déficits auditifs chez les jeunes. CE et JDB

Méthode d'enseignement destinée aux sourds-muets, élaborée par P. Pelissier, professeur à l'Institut impérial de Paris, 1856.

SYNESTHÉSIE : « A noir, E blanc... »

Chaque modalité sensorielle possède des récepteurs ne réagissant qu'à un type spécifique de stimulus (voir Classification). Chez le jeune enfant*, toutefois, la vision, l'audition, le toucher, le goût et l'olfaction sont encore entremêlés, et de rares personnes (1 sur 500 000) conservent à l'âge adulte cette confusion des sens, ou synesthésie.

Sa manifestation la plus fréquente est l'« audition colorée », où l'écoute d'une note déclenche simultanément et irrépressiblement la sensation d'une couleur. Dans d'autres cas, un son peut être associé à une forme, une image à un mot, ou le toucher d'une texture à une couleur. Ces associations occasionnent souvent une grande gêne chez le sujet, qui se sent envahi en permanence par une multitude de sensations incontrôlées. Certains artistes, comme Skriabine, ont essayé d'en tirer parti dans leurs œuvres en composant des spectacles multisensoriels*.

Poètes et écrivains, fascinés par ce phénomène, ont cherché à saisir les correspondances secrètes d'un monde où les sens se répondent mutuellement : après Baudelaire (« les parfums, les couleurs et les sons se répondent »), Rimbaud dans son sonnet des « Voyelles » (1871) explore une mystérieuse algèbre (« A noir, E blanc, I rouge, U vert, O bleu »). Des Esseintes, personnage du roman de Huysmans (*À rebours*, 1884), prolonge ces recherches en réalisant un « orgue à bouche », dispensateur de liqueurs qui lui permet d'« écouter le goût de la musique », de « se jouer sur la langue de silencieuses mélodies, de muettes marches funèbres à grand spectacle, [d']entendre, dans sa bouche, des solis de menthe, des duos de vespétro et de rhum ». CE

« Je demeurais haletant, si grisé de sensations, que le trouble de cette ivresse fit délirer mes sens. Je ne savais plus vraiment si je respirais de la musique, ou si j'entendais des parfums, ou si je dormais dans les étoiles. »

Guy de Maupassant, *La Vie errante*, 1890.

Temps

Le temps n'est accessible directement à aucun de nos sens ; il n'est pas une molécule que pourraient capter nos sens chimiques telles l'olfaction ou la gustation, ni une énergie comme la lumière ou les ondes sonores. Il n'est pas un objet que nous pourrions observer à distance : nous sommes plongés dans le temps. Les mécanismes cérébraux qui sous-tendent sa perception, à défaut de sa sensation*, commencent seulement à être connus. Une horloge biologique interne, située dans le cerveau* juste au-dessus de l'endroit où se rejoignent les deux nerfs optiques, contrôle les cycles journaliers des êtres vivants. En l'absence de repères temporels, comme l'alternance jour-nuit, cette horloge continue de fonctionner, mais le rythme de 24 heures n'est plus qu'approximatif (rythme circadien).

Si l'homme est un animal éminemment temporel, c'est qu'il

Photographie d'Henri Cartier-Bresson.

dispose en outre d'une représentation du temps, reliant passé, avenir et présent au travers de la mémoire*, et surtout d'une représentation de cette représentation au travers du langage.
En Occident, il nous est quasi impossible de penser le temps sans recourir à la métaphore spatiale : le présent est vu comme un point sur une ligne, qui sépare le passé de l'avenir ; ce point est fixe sur une ligne qui se déplace (le « fleuve qui coule » d'Héraclite) ou bien il avance inexorablement sur une ligne fixe (métaphore qui autorise les voyages temporels des auteurs de science-fiction). Mais ni le temps ni l'espace* ne sont des catégories universelles données *a priori*. Dans la culture hindoue, par exemple, le temps vécu est appréhendé de façon cyclique et n'a rien à voir avec le temps « réel », défini comme immobile et indivisible. CE

Page suivante :
Caraco, première moitié du XVIIIe siècle. Soie brodée. Paris, coll. part.

Texture

La texture (du latin *textura* « tissu ») est ce qui donne aux matières leur « grain » particulier, indépendamment de la forme* et de la couleur*. Elle joue bien sûr un grand rôle dans le toucher*, l'extrémité des doigts étant très sensible au rugueux, au spongieux, au granuleux, au mou, etc., et constitue l'une des qualités accompagnatrices du goût*.

Visuellement, la texture fournit des informations sur la profondeur* et sur l'inclinaison d'une surface. Plus une texture est éloignée de l'observateur, plus elle paraît dense : l'image d'une plage de galets n'est pas vue comme un empilement de cailloux, les plus petits reposant sur les plus gros, mais bien comme une étendue uniforme s'étendant à perte de vue. Dans la vie courante, le système visuel repère surtout les discontinuités de textures, qui apparaissent alors comme des contours délimitant les objets. Sauf si une attention* soutenue est demandée, le cerveau fait l'économie d'une analyse de détail et « invente » la texture à partir des jeux d'ombre et de lumière.

Après les peintres* flamands du XVe siècle, qui apportent un soin particulier à la restitution des matières, l'intérêt des artistes pour les textures n'a cessé de décroître. Au début du XXe, les dadaïstes tel Kurt Schwitters ne cherchent plus à restituer visuellement les textures, mais les offrent directement à l'œil, mêlant dans leurs collages « la rudesse du jute, le poli du plastique, le grain du fer rouillé » (E. Gombrich). Tout aussi variés seront les matériaux utilisés dans ce que Dubuffet, créateur de l'« art brut », appellera ses « texturologies ». CE

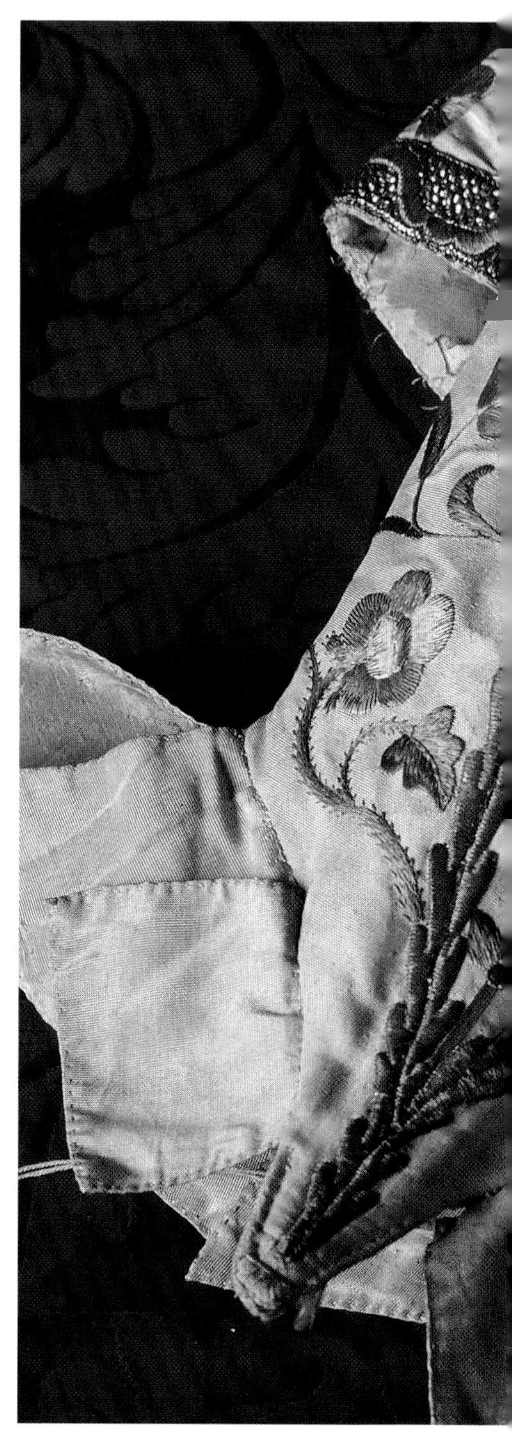

■ TOUCHER

À la différence des autres sens, le toucher impose le contact immédiat de notre corps avec les autres corps matériels. En cela, il semble constituer la preuve *tangible* de leur existence : un simple pincement pourrait suffire à nous convaincre que nous ne rêvons pas. Du fait de l'omniprésence de la peau*, le toucher est aussi le seul sens réflexif : le cerveau* reçoit simultanément le message de notre doigt qui glisse sur le dos de notre main* (toucher actif) et celui de cette main effleurée (toucher passif). Au sens large, le toucher intéresse trois sensations mécaniques : pression, vibration, toucher proprement dit ou tact, qui nous renseigne sur la qualité de la matière et la texture* des surfaces.

L'expérience tactile débute très tôt puisque, dès la septième semaine, le fœtus perçoit les pressions et les vibrations. La lèvre supérieure est la première zone réceptrice du tact, puis viennent la paume des mains*, le visage, l'extrémité des membres ; vers la quatorzième semaine, le corps tout entier est stimulé par les pressions du liquide amniotique et les contacts

Jan Brueghel de Velours et Pierre Paul Rubens, *Allégorie des sens : Le Toucher*, 1617-1618.
H/t 65 × 110. Madrid, Museo del Prado.

contre les parois utérines. Durant la phase de travail, les contractions de l'utérus sur le corps du fœtus réalisent un véritable massage (équivalent du léchage des nouveau-nés chez les autres animaux) qui assure le bon fonctionnement des systèmes vitaux après la naissance. Dans les mois qui suivent, l'enfant* a besoin de maintenir un contact étroit avec le corps maternel. Toucher et être touché est un besoin fondamental que nous partageons avec de nombreuses espèces animales. Par exemple, des études menées en 1958-1960 par Harlow sur des macaques rhésus ont montré que les bébés singes passaient plus de temps auprès d'un substitut maternel doux et chaud qu'auprès d'un substitut en grillage qui leur assurait l'allaitement. Chez l'homme, primate à la peau nue, les premiers contacts corporels influencent très profondément le développement physique et psychologique.

Source d'apaisement, de plaisir, le toucher est si étroitement lié au corps qu'il ne pouvait manquer de faire l'objet de divers tabous sexuels et socioculturels. CE et JDB

Troubles

Certains troubles complexes, appelés « agnosies » (« ignorance », en grec), apportent un éclairage précieux sur la façon dont le cerveau* traite les informations sensorielles. Ces déficits résultent de lésions cérébrales, et non d'une atteinte des récepteurs. Le patient ne reconnaît pas certains stimuli en raison d'une déficience de leur perception (agnosie aperceptive) ou de l'accès à leur signification (agnosie associative).

Dans le domaine visuel, les troubles de reconnaissance peuvent affecter sélectivement la forme*, la couleur* ou le mouvement* des objets, illustrant le fait que ces trois attributs sont traités selon des voies distinctes. Les patients atteints d'agnosie aperceptive ont des difficultés à percevoir les formes, surtout s'il s'agit d'objets présentés sous un point de vue légèrement inhabituel. Dans les agnosies associatives, les sujets ont une perception correcte des objets, mais sont incapables de les identifier*. Certains déficits peuvent n'affecter que l'écrit (alexie) ou certaines catégories d'objets : ainsi, un patient n'aura aucun mal à identifier un parapluie ou un marteau (inanimés), mais ne pourra pas reconnaître ni un chat, ni une rose, ni une banane (objets de nature biologique). Le neurologue Oliver Sacks, dans son ouvrage *L'Homme qui prenait sa femme pour un chapeau*, décrit le cas du Dr P. devenu incapable de reconnaître les visages de ses étudiants. En audition, le terme d'« agnosie auditive » désigne tout trouble de reconnaissance des événements sonores non verbaux, alors que l'agnosie verbale est spécifique du trouble de reconnaissance de la parole. CE et JDB

Vieillissement

Certaines facultés des systèmes sensoriels déclinent très tôt avec l'âge, mais la gêne qui en découle n'apparaît que tardivement. Bien qu'inéluctables, ces phénomènes présentent des variations individuelles importantes. Pour l'œil*, la capacité de mise au point du cristallin (accommodation) diminue dès l'âge de 10 ans. Due à une perte progressive d'élasticité, cette altération devient gênante lorsque nous sommes incapables de voir nets les objets proches : c'est la presbytie (*presbus* signifie « âgé » en grec) qui apparaît entre 40 et 50 ans. Pour l'audition*, la sensibilité aux sons* aigus diminue à partir de 20 ans, mais ce n'est généralement qu'après 50 ans qu'une gêne réelle s'installe : c'est la presbyacousie. Le déclin de l'olfaction* et de la gustation* apparaît beaucoup plus tard, vers l'âge de 70 ans, et s'accentue après 80 ans. Il semble qu'il touche plus les hommes que les femmes, mais les déficits varient grandement d'une personne à l'autre. Le toucher* est également susceptible de subir des altérations, dont la diminution de sensibilité des récepteurs tactiles et thermiques ; les textures seront moins bien discriminées et les brûlures moins vite détectées. La sensibilité à la douleur* est incontestablement réduite, mais son caractère subjectif rend difficiles les recherches dans ce domaine. Une consolation toutefois après l'énumération de ces pertes sensorielles : nos capacités intellectuelles, quoique ralenties, restent quasiment intactes. CE et JDB

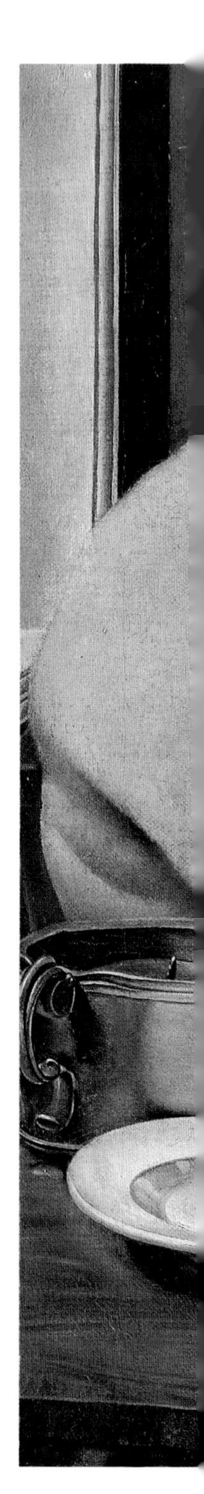

Johann August Krafft, *Le Juge Jacob Wilder*, 1819. Hambourg, Kunsthalle.

Virtuel

Les dispositifs de réalité virtuelle sont des techniques de simulation interactive qui permettent de « s'immerger » dans un monde artificiel créé par ordinateur. Cet effet d'immersion sensorielle est obtenu notamment grâce à un visiocasque, qui dispense un son* stéréophonique et restitue la sensation de relief* : la vision stéréoscopique est assurée par le fait que les deux écrans du visiocasque fournissent à chaque œil des images légèrement différentes ; ces images de synthèse étant calculées en temps réel en fonction des mouvements de la tête de l'observateur, celui-ci perd la conscience des écrans et se sent plongé dans une scène virtuelle autonome. Les « gants de données » utilisent des détecteurs de position, d'orientation et de flexion des doigts : un mouvement de la main* réelle commande immédiatement un mouvement analogue de la main virtuelle. Désireux de donner une consistance aux objets virtuels, les chercheurs ont ajouté aux gants des pistons d'air comprimé capables de restituer la sensation du toucher*, puis des dispositifs de « retour d'effort ».

Bardé de capteurs, l'explorateur virtuel peut alors naviguer dans l'abbaye de Cluny, réparer le télescope Hubble et même établir un contact physique à distance avec une autre personne (les projets de « cybersexe » ne sont pas encore tout à fait au point). Promise à un grand avenir, la réalité virtuelle stimule nos sens dans un contexte nouveau, et chaque difficulté que rencontrent les chercheurs est l'occasion d'accroître notre connaissance des mécanismes de la perception. CE

VISION

Des diverses modalités sensorielles humaines, la vision est sans conteste celle dont l'étude est la plus ancienne et la plus développée. Dès l'Antiquité*, elle est l'objet de théories qui tentent d'élaborer les règles géométriques régissant les rayons visuels émis par l'œil*. Le Moyen Âge prend connaissance du modèle élaboré en Orient par Ibn al-Haytham (Alhazen), savant arabe du Xe siècle, qui fait de l'œil le récepteur des rayons lumineux. Mais il faut attendre le XVIIe siècle, avec Kepler puis Descartes*, pour que lumière* et vision soient conçues indépendamment. Cette distinction essentielle permettra de décrire trois niveaux dans la perception visuelle, intéressant aujourd'hui des disciplines distinctes : trajet des rayons lumineux de l'objet jusqu'à la rétine* (étude physique de la lumière et des couleurs*), transmission de cette information au cerveau* (anatomie et physiologie), représentation mentale de l'objet (psychologie de la perception).

À la fin du XIXe siècle, l'étude de certains déficits visuels dus à des lésions neurologiques permettent d'attribuer à la vision une zone précise à l'arrière du cerveau (H. Munk, 1880, puis T. Inouye, 1909), et en 1918 Gordon Holmes établit que chaque point de la rétine se projette sur un point de cette aire (rétinotopie). L'organisation

Jan Brueghel de Velours
et Pierre Paul Rubens,
Allégorie des sens : La Vue.
H/t 65 × 109. Madrid,
Museo del Prado.

du cortex visuel se précise peu à peu, mais les chercheurs du début du siècle sont encore loin de soupçonner l'énorme complexité des mécanismes mis en œuvre. Surtout, une question – aujourd'hui inopportune – reste obsédante : qui, à l'intérieur du cerveau, « regarderait » cette image corticale ?

Depuis les années 1950, les sciences de la vision ont connu une accélération spectaculaire, dont il ressort avant tout que la perception visuelle n'est pas une analyse passive d'images qui se projetteraient sur une sorte d'écran intérieur. Nous savons par exemple, depuis les travaux de Semir Zeki, que la forme*, la couleur et le mouvement* sont traités suivant des voies séparées avant d'être intégrés dans une représentation tridimensionnelle unifiée. À partir d'un énorme flux d'informations en perpétuel changement, nous construisons des objets mentaux stables, que nous identifions* et auxquels nous donnons un sens. Comme en témoigne l'étude des illusions* perceptives, notre cerveau élabore des modèles hypothétiques du monde réel en s'appuyant à la fois sur des données sensorielles brutes et sur nos connaissances antérieures. L'image que nous percevons du monde n'est pas son reflet exact, mais une construction de notre cerveau. CE et JDB

Vocabulaire

La langue, en tant qu'elle exprime une certaine représentation, un certain découpage de la réalité, constitue un filtre culturel* particulièrement marqué dans le domaine de la perception. Ainsi, bien que nous puissions tous distinguer et classer semblablement des échantillons de couleurs*, nous ne disposons pas d'un même nombre de termes pour les nommer. L'unique distinction universelle repose moins sur la tonalité (reliée à la longueur d'onde de la lumière*) que sur la brillance : toutes les langues possèdent des termes rendant compte de l'opposition clair/foncé, brillant/mat, blanc/noir, opposition qui prédomine chez certaines sociétés de Nouvelle-Guinée, comme aussi chez les anciens Grecs. Si une langue connaît un troisième terme, il s'agit invariablement du rouge (seul nom de couleur commun à l'ensemble des langues indo-européennes), qui recouvre alors un vaste champ sémantique. Les lexiques très riches, comme celui des Maoris de Nouvelle-Zélande qui distinguent une centaine de rouges, prennent en compte d'autres oppositions, appréhendées de pair avec la couleur proprement dite : sec/humide, chaud/froid, tendre/dur, etc.

L'association de différentes modalités sensorielles se reflète aussi dans le vocabulaire des saveurs*, qui mélange les sensations gustative, olfactive, tactile et thermique. Dans toutes les langues, il semble que les fortes différences* individuelles n'autorisent que l'apparition de descripteurs gustatifs et olfactifs liés à un produit de référence (sel, sucre, pH acide ; camphre, menthe, musc...). CE

Voyant

La vue, principalement chez les anciens Grecs mais aussi dans bien d'autres cultures*, est pensée comme une exploration active de l'environnement, à la différence des autres sens qui se contenteraient de recueillir les informations. Le regard*, source de connaissance et de pouvoir, doit donc être réglementé par un ensemble d'interdits et de croyances. L'un des plus grands tabous consiste à

Bronzino, *Ulysse et Tirésias*, 1560. Fresque. Florence, Banca Toscana.

Juste de Gand, *Homère aveugle*, 1473-1475. Urbino, Palazzo Ducale.

voir ce qui ne peut être vu : l'intimité des dieux, détenteurs de la Connaissance. Selon la version de Callimaque, c'est parce qu'il a vu Athéna nue au bain que le jeune Tirésias est frappé de cécité (« Qui verra quelqu'un des Immortels contre son vouloir paiera cette vue d'un prix lourd », *Hymne* V, v. 100). Cédant aux prières de la nymphe Chariclô, mère de Tirésias, la déesse atténuera ce châtiment en accordant au jeune homme le don de prophétie. La clairvoyance apparaît ainsi comme la contrepartie spirituelle de la cécité charnelle, par un de ces processus que Dumézil a proposé d'appeler « mutilations qualifiantes ». Œdipe se punit lui-même de son double crime – et de son aveuglement – en se crevant les yeux ; Sophocle, dans le dernier acte d'*Œdipe à Colone*, fera du héros aveugle le Guide par excellence. Quand elle ne résulte pas d'une sanction divine, la cécité est une épreuve initiatique ; c'est à ce prix que visionnaires, poètes, rhapsodes sont autorisés à « voir » au-delà des apparences trompeuses du monde profane. Les yeux vides dont la tradition dote les représentations d'Homère contemplent une autre lumière. CE

I N D E X

BIBLIOGRAPHIE SÉLECTIVE

Histoire et philosophie des sciences

Gérard Simon, *Le Regard, l'être et l'apparence*, Seuil, 1988.
Jacques Perriault, *La Logique de l'usage*, Flammarion, 1989.
Roberto Casati et Jérôme Dokic, *La Philosophie du son*, Jacqueline Chambon, 1994.
Monique Sicard, *L'Année 1895, l'image écartelée entre voir et savoir*, Les Empêcheurs de penser en rond, 1994.
Joëlle Proust (dir.), *Perception et intermodalité*, PUF, 1997.
Carl Havelange, *De l'œil et du monde*, Fayard, 1998.

Neurophysiologie et psychologie de la perception

Oliver Sacks, *L'Homme qui prenait sa femme pour un chapeau*, Seuil, 1988.
Les Mécanismes de la vision, préface d'Yves Galifret, Pour la science, 1989.
Arlette Streri, *Voir, atteindre, toucher. Les relations entre la vision et le toucher chez le bébé*, PUF, 1991.
Roger N. Shepard, *L'Œil qui pense. Visions, illusions, perceptions*, Seuil, 1992.
David Hubel, *L'Œil, le cerveau et la vision*, Pour la science, 1994.
Stephen McAdams et Emmanuel Bigand, *Penser les sons*, PUF, 1994.
Jean-Didier Bagot, *Information, sensation et perception*, Armand Colin, 1996.
Jacques Ninio, *L'Empreinte des sens*, Odile Jacob, 1996.
Alain Berthoz, *Le Sens du mouvement*, Odile Jacob, 1997.
Manuel Jimenez, *La Psychologie de la perception*, Flammarion, 1997.
Gaetano Kanizsa, *La Grammaire du voir*, Diderot, 1997.
Oliver Sacks, *L'Île en noir et blanc*, Seuil, 1997.

Approches diverses

Henri Poincaré, *La Science et l'hypothèse*, Flammarion, 1968.
Erwin Panofsky, *La Perspective comme forme symbolique*, Minuit, 1975.
Ashley Montagu, *La Peau et le toucher*, Seuil, 1979.
John Pierce, *Le Son musical*, Pour la science, 1984.
François Dagognet, *La Peau découverte*, Les Empêcheurs de penser en rond, 1993.
Pierre Lévy, *Qu'est-ce que le virtuel ?*, La Découverte, 1995.
Mario Borillo et Anne Sauvageot (dir.), *Les Cinq Sens de la création*, Champ Vallon, 1996.
Jacques Bril, *Regard et connaissance*, L'Harmattan, 1997.
Boris Cyrulnik, *L'Ensorcellement du monde*, Odile Jacob, 1997.
Alain Gullino, *Odeurs et saveurs*, Flammarion, 1997.
Annick Le Guérer, *Les Pouvoirs de l'odeur*, Odile Jacob, 1998.

Crédits photographiques : FLORENCE, Scala 10 ; HAMBOURG, Kunsthalle 111 ; HARTFORD, Wadworth Atheneum 69b ; NAPLES, Gallerie Nazionali di Capodimonte 40-41b ; PARIS, Bibliothèque du film 46 ; Bibliothèque nationale de France 93 ; Cahiers du Cinéma 24-25 ; Jean-Loup Charmet 78 ; Cosmos 70-71, /Science Photo Library 29, 113 ; Dagli Orti 33, 38-39, 66-67, 86-87, 108-109, 114-115, 117 ; Guerlain 89 ; P. Hussenot 99 ; Institut national des Jeunes Aveugles 42 ; Jacana/Tonatia Silvicola 31b ; Magnum /Cornell Capa 80 /Martine Franck 19, 64 /Jean Gaumy 23 /Ernesto Bazan 26-27 /Elliott Erwitt 36-37 /Carl de Keyser 44 /Erich Lessing 48-49, 77, 116 /Richard Kalvar 52 /Henri Cartier-Bresson 62-63, 105 ; Réunion des musées nationaux couverture, 4-5, 6, 13, 14, 16-17, 30, 34-35h, 51, 57, 59, 91, 97, 101 ; Roger Viollet 50h, 61, 79 ; Dorothée Selz 35b ; Marc Walter 107 ; UPPSALA, Universitets Myntkabinett 73 ; VANVES, Explorer archives 69h, 75 /Philippe Hurlin 32 /P. Gontier 47 /L. Rebmann 54 /S. Villeger 58 /Omikron-Photo Rsearchers 94 ; WASHINGTON, Library of Congress 68 ; National Gallery 82.

L'exposition *Théâtres des Sens*
est présentée par le Comité Colbert
au Palais de la Découverte
du 15 mai 1998 au 3 janvier 1999.

Directeur de la Série Sciences : Christine EHM
Coordination éditoriale : Béatrice PETIT
Direction artistique : Frédéric CÉLESTIN
Infographies : Thierry RENARD
Photogravure, Flashage : Pollina s.a., Luçon
Papier : BVS-Plus brillant 135 g distribué par Axe Papier, Champigny-sur-Marne

100 %
chlorfrei
chlorine free
sans chlore
exento de cloro
senza cloro

Papier de couverture : Trucard 260 g, Arjomari Diffusion
Couverture imprimée par Pollina s.a., Luçon
Achevé d'imprimer et broché en avril 1998 par Pollina s.a., Luçon

ISBN : 2-08-012586-9
ISSN : 1275-2657
N° d'édition : FA 258601
N° d'impression : 74096
Dépôt légal : juin 1998

Imprimé en France

Pages 4-5 : Jacques Linard, *Les Cinq Sens et les Quatre Éléments* (détail), 1627. Paris, musée du Louvre.
Page 6 : *La Vue et les couleurs*, détail de la théière du *Cabaret des cinq sens*. Manufacture de Sèvres d'après Jean-Charles Develly, 1817. Porcelaine. Paris, musée du Louvre.